政策科学の交響世界

——人間はＡＩで動く社会をコントロールできるか？

権　祈憲　著
洪　性暢　訳

WORLD　DOOR

[目　次]

[図表一覧]

訳者まえがき

本書は韓国における政策科学の第一人者の権祈憲教授著作の『정책학 콘서트（政策学コンサート）』の全訳である。

著者はソウル大学行政大学院を卒業後、ハーバード大学のケネディ・スクールで政策学博士号を取得し、ソウルにある成均館大学の行政学科およびガバナンス専門大学院教授に就任し、現在、同大学の大学院長の要職にある。その傍ら、韓国首相室政府業務評価委員として活躍し、同時に韓国政策学会会長及び編集委員長を歴任している。また、その研究活動及び学界への寄与は次のように多くの賞の対象になっている。第二六回行政試験合格および研修院首席として受けた国務総理賞、韓国行政学会最優秀論文賞、アメリカ政策分析管理学会最優秀博士号選定、韓国学術院優秀図書（二回）、文化観光部優秀図書推薦、アメリカ国務省Fulbright Scholarshipなどである。こうした活動の他に、悩める若者を励ます活動をも展開している。その一端を紹介するなら、『諦めないで、あなたは最高になれる！』、『正義の国とは何か』、『大韓民国非正常の正常化』、『生の理由を問うあなたへ』、『伽倻山への七日間の招待』（教保文庫全国ベストセラー）などの執筆である。

政策科学の哲学的理念は人間の尊厳性の尊重であると言われている。本書では、この理念に込められた人文科学的意味の実現を目指す政策科学の大家たちの学説と生涯が紹介されている。それを通じて、彼らが何を考えて生きてきたのか、何に対して強い問題関心を抱いていたのか、彼らが提示する解決策は何だったのかが紹介されている。

政策科学の創設者ラスウェルはアメリカの広島原爆投下の決定に関して「政策が本質的に人類の生活を脅かすことになったらどうなるのか」という問題に対して、その解決策を探し求めた苦闘の中で政策科学という学問の規範を提唱した。すなわち政策科学という学問は、何よりも社会問題の解決を通じて、人間の尊厳性の尊重を至高の価値とすべきだという規範的主張を展開したのである。つまり、政策科学の目的は人間の尊厳性（human dignity）を実現し、人間の価値（value）を高揚させることであるということであった。

本書では、現代政策科学を提唱した巨匠としては、ラスウェルのみならず、その弟子のドロア、次にエーリヒ・ヤンチュ、アンダーソンやその他の多くの著名な学者の学説と生涯を紹介し、同時に彼らが提唱した政策決定モデル、政策拡散モデル、政策分析モデル、政策の流れモデル、政策唱道連合モデル、社会的構成モデル、さらにガバナンスとニュー・ガバナンスについて、平易な解説を行っている。

一方、未来学を創始したジム・デイター教授をはじめ、『シンギュラリティー（ＡＩが人類の知性を上回り、生物の限界が越えられる技術的特異点）が来る』という本で私たちに広く知られているレイ・カーツワイルや第四次産業革命という単語を初めて示したシュワブをはじめとし、『労働の終わり』『限界費用ゼロ社会』で有名なリフキンの主張を取り上げて、現在進行中のデジタル社会への移行がもたらす諸問題を政策科学の課題として提起し、それらに取り組む試みを取り上げるなど全く新しい分野を開拓している。

さらに、政策科学が政治的難問の解決に寄与した実例として、南アフリカのアパルトヘイト政策の変更がどのようにして成果を上げることができたのかを取り上げて、統合と包容のリーダーシップ論を展開しているアダム・カヘインと南アフリカ共和国の変革的リーダーのネルソン・マンデラとの協調活動を紹介している。

このように、本書は政策科学、未来学、第四次産業革命、統合的リーダーシップの理論家たちが関心を示した領域、問題意識、争点、提示された解決策らを整理している。いわば、本書は政策科学、未来学、第四次産業革命、統合リーダーシップの理論家たちが関心を示した領域、争点、提起された問題に対する解決策らを整理している。

要するに、本書は、アメリカで発達した政策科学が、未来において本格的に出現するとされるデジタル社会においていかにすれば人間の尊厳を実現するのに寄与できるのかという課題に示唆を与えてくれる刺激的な著作である。

現在、日本は、情報通信技術産業で主役となる第四次産業革命というバスに乗り遅れたことで、デジタル社会の構築の点で、米中はいうまでもなく、韓国にも遅れをとっていると言われている。韓国では「電子国家論」や「スマート政府論」が盛んに論じられているのに、日本はまだその気配が少し見られる程度である。韓国での「電子国家論」や「スマート政府論」の展開をリードしているのは本書の著者である。訳者は五年前に八ヶ月間大東文化大学から Visiting Scholar として成均館大学大学院のガバナンス研究科で在外研究中に権教授の指導を受けた。その際に日本における政策科学の発展と韓国のそれとを比較する機会に恵まれた。そこで感じたのは二十数年前に日本でも政策科学は一時流行し、それを教授する総合政策学部や学科が数多く創立された時代があった。その時代の勢いが残念ながら現在のところ停滞しているように思われる。それに対して、韓国では政策科学は降盛を極めており、さらに政策科学と未来学とのコラボまで進んでいることに感銘を受けた。とりわけ政策科学と未来学とのコラボに関して、それを平易に解説した政策科学の入門書の役割を果たしている本書に接し、ぜひ日本語へと訳したいと念じるようになった。また、本書は政策科学学説史入門の性格をも有している。従って、本書が大学で政策科学を学ぶ第一歩として活用されることを願って、その日本語の翻訳に踏み切った次第である。なお、原書の題を、日本語版では『政策科学の交響世界――人間はＡＩで動く社会をコントロールできるのか？』に変えた。というのは、著名な政策科学者の学説が本書の中で響き渡り、一種の交響楽の世界を作り出していると感じられたので、そのことを伝えるためである。ちなみに、本書は原書の全訳ではあるが、韓国のことにふれた部分は一部省略していることを付け加えておきたい。

最後になるが、著者から長い日本語版序文を頂いたが、その内容は訳者の「訳者まえがき」にすでに要約されているので省き、その代わりに、著者の日本の読者への次の言葉を紹介させて頂きます。

「機会があれば、私も皆さんとこのような問題について直接に討論してみたいと思います。古代から現代に至るまで、一衣帯水と言い、日本と韓国は、政治、経済、社会文化全般にわたって多くの交流が行われて来ました。特に室町時代と江戸時代にかけて学問と書籍の交流を通し、両国は東アジアで黄金の文化王国を共同で謳歌した時代がありました。このような伝統的な友誼を基に、筆者はこの機会に日本の読者の皆様と紙面を通じてでもコミュニケーションできることを嬉しく思います。」

序文

『行政学コンサート』を出版してから数年が経った。その本は多くの反響と愛を受けた。『政策科学コンサート』を刊行するなら、どんな反応が見られるのか考えてみた。

執筆時、政策科学の巨匠たちの主張、現代政策モデルの紹介、政策科学と未来学の出会い、政策科学と第四次産業革命の接点などについて考えてみた。

政策科学は人間の尊厳性を哲学的理念として掲げているが、そこに込められた人文科学的意味を考察するとともに、未来予測と第四次産業革命をテーマにした大家たちの生涯を追跡してみることにした。彼らは何を考えて生きてきたのか、何に対して強い問題関心を抱いていたのか、彼らが提示する解決策は何だったのか。

現代政策科学を提唱した巨匠としては、ラスウェル、ドロア、エーリヒ・ヤンチュ、アンダーソンなどとともに、政策決定モデル、政策拡散モデル、政策分析モデル、政策の流れモデル、政策唱道連合モデル、社会的構成モデルなどを紹介し、さらにガバナンスとニュー・ガバナンスの提唱者らをも紹介した。

一方、未来学を創始したジム・デイター教授をはじめ、『シンギュラリティーが来る』という本で私たちに広く知られているレイ・カーツワイルの話を紹介した。

また、第四次産業革命という単語を初めて提示したシュワブ会長をはじめとし、『労働の終わり』『限界費用ゼロ社会』で有名なリフキンの話も紹介した。

さらに、現代社会の葛藤を解決できる統合と包容のリーダーシップを提供したアダム・カヘインをはじめ、これを現実に適用して成功させた南アフリカ共和国の変革的リーダー、ネルソン・マンデラの話を紹介した。

言わば、政策科学、未来学、第四次産業革命、統合的リーダーシップの理論家たちが関心を示した領域、問題意識、争点、提示された解決策らを整理してみた。

このような議論を通じて、私たちの社会が抱える葛藤と矛盾を克服し、未来を予測するとともに、第四次産業革命に対する創造的な解決策について理解が深まればと願う。

プロローグ——政策科学とは何か

政策科学の創始

現代政策科学は一九五一年ラスウェル（H. Lasswell）の「政策志向（Policy Orientation）」という論文から始まった。政策科学は社会の根本的な問題の解決の道筋を示す方向性を探る。当時、ラスウェルはアメリカの広島原爆投下の決定について「政策が本質的に人類の生活を脅かしたらどうすべきか」という問題に対してその解決策をさぐる苦闘の中で政策科学という学問の規範を提唱するようになった。学問は、何よりも社会問題の解決を通じて、人間の尊厳性の尊重を至高の価値とすべきだという主張を展開した。つまり、政策科学の目的は人間の尊厳（human dignity）を実現し、人間の価値（value）を高めなければならないということであった。

ラスウェルは「政策科学は長い歴史と短い過去（long history but short past）を持つ」としつつ、一九五一年以降彼によって提唱された民主主義政策科学は人類普遍のための政策科学にならなければならないと強調した。そのため、問題志向、文脈性、学際性という三つのアプローチをもとに政策科学の規範が構成されるべきであると主張した。

政策科学の規範

政策科学は問題志向的（problem-oriented）で、時間と空間の文脈性（contextuality）を重視し、純粋学問ながらも応用学問として学際的（interdisciplinary）な特別の性格を持つ。そのためには、政策科学は計量分析と政策分析手法のみならず、哲学、心理学、歴史学、未来予測、ガバナンス、電子政府等の様々な学問分野との知の統合のアプローチを必要とする。

特に現代社会は「ＶＵＣＡ」、すなわち変動性（Volatility）、不確実性（Uncertainty）、複雑性（Complexity）、曖昧〔両義〕性（Ambiguity）を特徴とする第四次産業革命時代に突入している。このような変化と速度の時代に切実に求められるのは人文科学的想像力を土台とした政策科学の問題解決の力量である。政策科学に対する多様な理論的土台と哲学的認識を基盤に政策の成功と失敗が交差する地点に対する認識の地平を広げなければならない。

政策現象に対する科学的探求

政策科学とは、政策現象について科学的に探求する学問である。政策の成功を最大化し、政策の失敗を最小化できる方策について研究する。

なぜ、ある政策は成功するのに対し、ある政策は失敗するのか。

第一、政策変数において、人的リーダーシップの失敗か、構造的システムの失敗か、環境的政治権力の失敗か。

第二、政策過程において、議題設定での失敗か、政策決定での失敗か、執行での失敗か、評価での失敗か。

第三、政策類型において、規制政策での失敗か、再分配政策での失敗か、配分政策での失敗か、〔政策の策定・執行機関の〕構成政策での失敗か。

したがって、政策科学は非常に科学的である。政策の成功と失敗の要件について科学的に解明しようとしているためである。経験性、客観性（信頼性・有意性）、再生の可能性を土台に現状を正確に描写し、説明して予測しようと努める。

行政学研究と政策科学研究

行政学が組織、人事、財務、情報体系など非常に実用的な学問体系であるのに対して、政策科学は哲学的理念を追求する点で行政学とは、非常に際立った違いを有している。換言するなら、行政学が組織、人事、予算、情報など政府の内部運営指針と執行に関してその問題解決の道筋を示す方向性を有している（軍隊に例えるとlogistics、すなわち部隊組織、人事、予算、兵站など）のに対して、政策科学は何が良い政策なのか、何が正しい政策なのか、人間の尊厳に寄与するのか、といった、より形而上学的質問を投げかける学問だからである。

政策科学が官僚や道具的合理性に埋没せず、より根本的な価値に問題解決の道筋を示す方向性を有しなければならないことも、このような理由からである。また、単純な計量的実証主義に陥らず、より根源的な観点からのアプローチ、例えば、根拠理論、現場踏査、事例探求、深層心理学的診断などで補完しなければならない理由も、より本質的な質問が重要だからである。

何が正しい国家（政府）なのか。何が私たちの社会の根本的な問題なのか。これを解決するためには、政府（政策）は何を優先すべきか。

政策科学者の世界観

政策科学者の世界観（policy scientist's view of the world）とは何か。

政策科学者は、私たちが社会で起こる政策現象を正確に描写、説明（explain）しようとし、さらには、そのような現象の将来の発生可能性を予測（predict）しようと努力する。既存の学術的理論やモデルを借りて適用してみたり、既存の理論と現実の差が大きすぎる場合は、新しい理論を提案したりもする。

また、一時代を風靡した人々、私たちがいわゆる「巨匠」と呼ぶ人々を探し出し、彼らは時代の「痛み」や「矛盾」に対してどんな悩みを抱いていたのだろうか、そして彼らがそうした悩みを解決する筋道を探り出した末の「解決策」とは何だったのか、その糸口を追ってみた。

私たちの社会が直面した根本的問題の一つは「肯定性」の欠如である。社会を構成する諸集団間の信頼は地に落ち、互いの真の対話と協力よりも相手を支配し、圧倒しようとしている。そのため、矛盾と葛藤が生じ、そのような矛盾と葛藤が悪循環の輪のように繰り返され、私たちの社会をまとっている。

誰がこの「悪循環」を断ち切るのか。またはどのような制度的妙策があって私たちが社会に内在している葛藤を解冤（かいえん）〔甑山道（じゅんさんどう）の教義のひとつで、無実の罪を晴らすという意味〕し、和解と共生の機運に昇華させるのか。

すっきりとした秘策はないであろうが、一時代を生きた「巨匠」に教えを乞うことにした。そして彼らの声と「一喝」を聞いて見ることにした。

この本はこのような考えを背景に、政策科学と未来学、政策科学と第四次産業革命を唱えた巨匠と言える学者たちの生涯と思想的な問題関心、そして彼らが出した解答について追跡したものである。

議論の流れは次の通りである。

まず第一部では、政策科学の規範の基礎を提示した政策科学の巨匠たちの生涯を追う。彼らの思想的な問題関心、時代背景をもとに問題関心を絞り込み、その問題関心の末に出された解決策、そして何よりも彼らが提示した問題解決の道筋を示す方向性は何だったのかを調べることにした。政策科学を創始したラスウェル、そしてドロア、ヤンチュなど彼の弟子たちの足跡を追跡し、実践的理性を提示したアンダーソンの話も探ってみた。

第二部では、現代の政策モデルについて説明する。政策決定モデルを提示したアリソン、政策拡散モデルを提示したベリー夫妻、政策分析モデルを提示したダン、政策の流れモデルを提示したキングダン、政策唱道連合モデルを提示したサバティエ、社会的構成モデルを提示したイングラム、シュナイダー、ドレオン等について検討し、次いでニュー・ガバナンスを提示したピーターズについて探求する。

第三部では政策科学と未来予測について述べる。未来学を創始したジム・デイター教授と共に『シンギュラリティーが近づいてくる』という本で私たちに広く知られているレイ・カーツワイルの話を探ってみる。

第四部では政策科学と第四次産業革命について述べる。第四次産業革命という単語を初めて提示したクラウス・シュワブ会長をはじめ、『労働の終わり』、『限界費用ゼロ社会』で有名なジェレミー・リフキンの話を探ってみる。

第五部では、政策科学と統合的リーダーシップについて述べる。現代社会の葛藤を解決できる統合と包容のリーダーシップを提供したアダム・カヘインをはじめ、これを現実に適用して成功させた南アフリカ共和国の超人、ネルソン・マンデラの話も探ってみる。

第六部では、これまでの話をまとめながら、彼らが政策科学に投げかける含意及び示唆を概観する。それを通じて、政策科学の巨匠たちの主張の根底に秘められたメッセージの共通分母を読み解く。

次いでエピローグでは政策現象を見つめる理論的レンズを整理しながら、この文を結ぶことにした。

PART I 政策パラダイム——政策科学の創始者たち

政策科学のパラダイムとは何か（「Policy Orientation」）——ラスウェル（Harold Lasswell）

ラスウェルの問題関心——政策それ自体が、人類の生存を脅かすものであるなら？

一九四五年八月、第二次世界大戦の末期、アメリカのトルーマン大統領は、日本の広島と長崎に原子爆弾投下を命じた。原爆投下後四ヶ月の間に、この二つの地域に最大二五万人に近い死者を出し、死者の大半は民間人であった。

当時のアメリカの政策決定者たちは、原子爆弾は日本だけでなく、全人類の運命をも左右する危険な核兵器であるにもかかわらず、原子爆弾がもたらす危険性と倫理的な問題について考えてはいなかった。それよりも、戦争の早期終結のために、いつ、どこに、どのように原子爆弾を投下すべきかを悩んだ。このことはラスウェルに大きな衝撃を与えた。

ラスウェルは原爆投下を求める米政府の政策決定がアメリカにとって最善の選択だったにしても、その実体においては人類の生存を脅かすものなら、この政策決定は望ましいことであったのか、という疑問を抱いた。これに対して、彼は政策科学が持つべき目的と進むべき方向性、政策科学の存在自体の意義について深く悩み始めた。

一国家の政策的選択がその国家のために最善であっても、人類の生存自体を脅すなら、それは望ましい事だろうか。政策決定が人類のための決定になることはできないのか。人間の尊厳性という最小限の担保はどのようにすれば保障されるのか。学問はどうして存在するのか。人間の尊厳性のための政策科学の学問体系を構成することはできないのか。単純な帝王学的な政策科学を越えてデモクラシーの政策科学というものは不可能であるのだろうか（權祈憲『行政学コンサート』、博英社、二〇一四年、一〇八頁）。

また、ラスウェルは一九四〇～六〇年代に流行した社会科学における価値と事実の分離を主張する行動主義や、計量化を重視する実証主義が、人類の社会が直面する諸問題の解決をさらに困難にしていると主張した。当時、アメリカ社会に広がっていた人種問題、社会的弱者の問題などは、価値を排除して行われる単純な統計分析や数値では解決できない問題であるからである。そうした学会の主流に対して批判的な立場をとるラスウェルは、社会問題を解決しながら、人間の生活そのものを向上させることのできる学問体系の構築について再び模索し始めたのであった。

解決策——政策志向（Policy Orientation）の完成

ラスウェルは一九五一年の「Policy Orientation」という論文において自分が提起した問題の解決策を提示した。彼は、政策科学を「人間の尊厳性を具現する民主主義政策科学」と名づけ、政策科学研究の目指すところは、人間が社会で直面している問題を解決することによって人間の尊厳性を回復することでなくてはならない、と主張した。

以降、ラスウェルは、一九七〇年の論文「The Emerging Conception of the Policy Sciences」、一九七一年の著書『Preview of Policy Sciences』で政策科学の方向性を政策決定過程に関する知識と政策決定過程に必要な知識の二つに区分して、政策研究の重要性を強調した。これに加えて、政策科学研究では、議題の問題志向性（Problem-oriented）、時間と空間の文脈性（Contextuality）、学際的（Interdisciplinary）な特性を持たなければならない、と次のように主張した。

第一に、政策科学で言う「問題志向性」とは、私たちの社会が直面している問題の根本的な原因を把握し、それに対する解決策を模索することを意味する。このことは、価値と事実を分け、実証的、科学的方法論を追求する行動主義に対する懐疑心から生み出されたものと見られる。ラスウェルは政策科学の問題志向性を通じて積極的に現実問題に関与し、その解決策を模索する必要があると、強調した。

第二に、政策科学が実質的に問題にアプローチし、解決するために時間的、空間的、政治的、歴史的など様々な文脈の中で問題を理解する必要がある。これを「文脈性」と言う。社会問題は、単に一つの原因から派生するものではなく、一つの原因を除去したところで問題の本質が解決されるわけではない。したがって政策科学研究は、文脈的な観点から、政策問題の認識から目標設定、解決策まで提示するなど、総合的な観点から行うべきである。

第三に、政策科学は社会問題の解決のために、様々な分野の学術的連合が必要である。これを「学際的」と言う。一つの社会問題は、一つの分野の学術研究だけで解決することができない。政策科学は、社会学、経済学、心理学など複数の学問と方法を活用して社会問題の解決に寄与しなければならない。

こうしたラスウェルの政策科学のパラダイムは、現代政策科学研究の出発点となり、その後、政策研究が進むべき方向を示した里程標となった。

問題解決の道筋を示す方向性——人間の尊厳性の実現を追い求める政策科学

政策科学の究極の目的は「人間の尊厳を実現すること」である。政策を立案、執行、評価する一連の過程のすべてが「人間中心の社会」、「人間の尊厳の実現」に置くのがその核心である。ラスウェルは政策科学が政策過程だけでなく、政策内容についての研究を通して、人間の尊厳を高めなければならない、と力説した。

現代社会の発展に伴い、複雑で様々な問題が継続的に発生している。それとともに、政府の機能も拡大し、政府は総合的かつ専門的な政策樹立が求められている。現代社会は以前よりもさらに高度に科学化、技術化されている。特に、第四次産業革命の風が吹き、人工知能、ロボット、ドローンなどが登場し、政府はそれに関連する政策を発表している。発展した技術のおかげで、人間はこれまで以上に豊かな暮らしを享受しているが、我々はこのような高度な技術社会が人間の尊厳を保障する方向に進んでいるのか疑問を抱く必要がある。

ロボット、人工知能、バイオなどの融合によりサイボーグ（Cyborg）の誕生を目前にしている。機械は人間に利益をもたらすが、その際、その中心には人間の尊厳が置かれなければならない。ラスウェルが述べたように、政策科学は持続的に人間の尊厳を実現することを目的とすべきである。そして再び原爆投下のように、人類の尊厳を脅かしたり、一部の政治関係者の権力的・経済的価値だけを最優先する政策決定がなされないように注意深く見守る必要がある。

それゆえ、今日我々は、これまでになく、ラスウェルの精神に注目しなければならない。彼が提唱した政策科学のパラダイム、そしてそのヒューマニズムの本質を今一度心に刻まなければならないであろう。

◉小休止：ラスウェルの生涯

ラスウェルは一九〇二年、米イリノイ州で生まれ、教育熱心な両親の下で育てられた。本に親しんでいた両親のおかげで、ラスウェルは幼い頃からヴィルヘルム・ヴィンデルバント（Wilhelm Windelband）、カール・マルクス（Karl Marx）などの著作を読破した。読書マニアだったラスウェルは、高校時代、友人の間で天才と言われ、校内新聞の編集長を務め、首席で卒業した。

ラスウェルは一六歳でシカゴ大学に奨学生として入学し、二〇歳で経済学の学位を取得して卒業し、その後ヨーロッパに渡り、ジュネーブ、パリ、ベルリンなどで勉強を続けた。この時、ラスウェルはジクムント・フロイト（Sigmund Freud）を研究し始めたが、これはフロイトの心理学的アプローチを政治学に取り入れるきっかけとなった。フロイトがラスウェルに及ぼした影響は、政治学と心理学を融合させた彼の最初の著作『精神病理学と政治（Psychopathology and Politics）』（1930）で明らかだが、その代表的な側面は、まさに政治を精神病理学的観点から解明した点であった。

ラスウェルはヨーロッパでの研究を終えてシカゴに戻り、一九二七年に第一次世界大戦の宣伝研究（Propaganda Technique in the World War）で政治学博士号を取得した。当時、ラスウェルの指導教授は、政治学者のチャールズ・エドワード・メリアム（Charles Edward Merriam）であったが、ラスウェルはメリアム教授の影響を受け、政治学の行動主義的研究に没頭した。

彼は結婚もせずに生涯を学問にだけ捧げた。シカゴ大学、コロンビア大学とイェール大学の教授を歴任し、多くの論文や著書を出版した。ラスウェルは、アメリカの政治学に行動主義を導入したメリアム教授から影響を受けただけではなく、一九二〇年代に形成されたウィーン（Vienna）学派の巨匠で論理実証主義をアメリカに導入したルドルフ・カルナップ（Rudolf Carnap）教授からも多くの影響を受けた。

しかし、ラスウェルは科学的アプローチの影響を多く受けたにもかかわらず、単にそこに安住しなかった。彼は政治行為者が追求する価値を福利（Wellbeing）、富（Wealth）、技能（Skill）、啓蒙（Enlightenment）、権力（Power）、尊敬（Respect）、愛情（Affection）、清廉（Rectitude）の八つに分類した。このような価値が多数の市民によって達成されれば、人間の尊厳は高まり、それがまさに民主主義の実現であるとラスウェルは考えた。過去に政治思想家たちが抽象的に言及した、自由、正義、民主主義という価値を、ラスウェルはより科学的かつ体系的に定立しようとしたことから、ラスウェルのこの主張の中に彼の偉大な学問的業績を見出すことができる。

また、政策科学のアプローチを単なる行動主義にとどまらず、脱実証主義を提唱した点、政策科学に未来価値を強調して未来予測の礎を築いた点、そして政策科学と人間の尊厳性の実現を強調した点などは、当時としては時代をリードする卓越した洞察力であり、知恵であったことが分かる。

晩年、ラスウェルはイェール大学を離れ、コロンビア大学で碩座教授を務め、一九七六年に完全に教授職から引退し、余生を政策科学センター（Policy Sciences Center）において研究に没頭した。一九七八年、彼は『世界の歴史における宣伝とコミュニケーション（Propaganda and Communication in World History）』という力作を三冊出版した後、この世を去った。

政策科学序説（「Prolegomena to Policy Sciences」）――イェヘツケル・ドロア（Yehezkel Dror）

ドロアの問題関心――政策科学の発展のために何が必要か。

政策とは「望ましい未来を実現するための価値と行動の複合体」である（H. Lasswell, 1951）。政策科学には、政策が志向する価値とそれを達成する手段が含まれる。

現代の政策科学は第二次世界大戦後、アメリカにおいて誕生した。世界大戦という総力戦を遂行しながら、体系的で科学的な国家指針を遂行する必要性が高まったばかりでなく、原子爆弾という強大な戦争道具をどのように使用するかという課題も提起されて、もし誤った使い方をすれば、それによって、人類が破局に至る恐れがあるという深刻な危機感が高まった。

こうした危機感の高まりの中で、ラスウェルが一九五一年の論文で明らかにしたように、「政策に関する情報の生産が精巧になるにつれて専門化（Specialization）」が進み、それは再び「専門的な教育に具体化され、政策専門家（Policy Specialist）を誕生」させる必要性が生じ、政策科学が登場することになった（H. Lasswell, 1971）。

今日の社会が直面している公共分野の問題は非常に複雑であるばかりでなく、市民の多様な行政需要が絡み合っている。「政策科学の父」と呼ばれるラスウェルは、これらの問題を解決し、政策の究極的な目的である「人間の尊厳性」を実現するためには、政策が直面する文脈に対する分析が非常に重要であるとしており、政策研究の発展のためには、多様な研究方法論だけでなく、政治学、人類学、生物学などの学際的なアプローチが必要であると強調した。
これらの方法の多様性への提言は、ドロアのその後の研究を通じて具体化され、「最適なモデル」の開発につながることになった。

解決策——学問連合志向性、学際的政策科学

政策科学は問題解決を志向し、時間と空間の文脈の中で、政治的要素と合理的要素が相互に作用し合って躍動的で動態的な過程が作られていく（権祈憲 2014）。このように政策科学は、純粋学問と応用学問の学問連合志向を持つ。政策とは、理性と合理性、効率と科学の産物であると同時に、価値と葛藤、権力と交渉の産物であるからである。

ラスウェルの弟子であるドロアは彼の記念碑的な論文、『政策科学序説（Prolegomena to Policy Sciences）』（1970）において政策科学の目的は、政策決定体制に対する理解を深め、これを改善することであると考えた。このため政策研究は、望ましい政策決定のための方法（Methods）、知識（Knowledge）、体制（System）に関心を持つべきだと主張した。

また、政策研究の問題解決の道筋を示す方向性は、（1）政策分析（Policy Analysis）、（2）政策戦略（Policy Strategy）、（3）政策立案システムの再設計（Policy Making System Redesign）にあるとしながら、政策の未来志向的戦略研究の重要性を強調した。

すなわち、政策研究の戦略は、未来志向の展望のもとに、革新的な戦略をとるか、それとも漸進的な改善を試みるのか（Innovative-Incremental）、危険を冒すか、それとも危険を回避するかどうか（High risk-Low risk）、全体的改革をするかどうか、それとも部分的な衝撃だけを与えるか（Comprehensive-shock）、長期的な将来を追求するの

か、短期的な将来だけを追求するのか（Time Preferences）などを先に決めて（Mega-policy Making）、メタ政策決定（Meta-policy Making）、政策決定（Policy Making）、後期政策決定（Post-policy Making）の様々な段階を踏まなければならない、と主張した（Y. Dror, 1970: 144-145）。さらに、政府は官僚の超合理性を高めるため、直観の活用、価値判断、創意的思考、ブレーン・ストーミング（Brainstorming）による超合理的な（Super-rational）アイディアまで考慮した教育訓練が必要であると強調した。

問題解決の道筋を示す方向性——最適モデルの誕生

ドロアの最適モデルは漸増モデルに対する批判と合理性を向上させることを目指している。漸増モデルは、政策決定過程で選択される解決策が既存の政策や決定で漸進的に改善されて行くものであり、またそれが望ましいと説明する。しかしこれは安定した社会にのみ適用が可能だが、急変する環境では適用しにくいし、安易な政策決定を助長して、政策決定の基本的な方向と基準が欠如しているという限界がある。

ドロアは、政策決定には経済的合理性と直観、判断力、創造性などの超合理的な要素までを同時に考慮しなければならないとした。そこでドロアは、政策決定モデルとして現実主義と理想主義を統合した規範的・処方的モデルの「最適モデル（Optimal Model）」を提唱したのである。

最適モデルは、時間の制限、人的・物的資源の範囲内で経済性を勘案した最大限の合理性を追求し、政策を決める時、合理性だけではなく、直観・判断・創意力のようなメタ合理性も重要であると考えた。このため、経験豊富な政策決定者の重要性を強調した。

また、政策決定を三段階に分け、これを一八の下位段階に細分化した。すなわち、最適モデルは政策決定のための解決策を検討して選択する単純な過程的側面だけでなく、メタ政策決定段階から政策決定以後の段階まで、政策決定の構造的枠組みを検討してこそ、最適（Optimal）の政策決定を行うことができる。このため計量的な面と質的な面を結合し、合理的要素と超合理的要素を同時に考慮しなければならず、現実主義と理想主義を統合する必要がある。したがって、ドロアはこのような側面から統合的政策決定モデルを提示したのである。

また、ドロアは政策科学に未来予測を取り入れた最初の第一世代の学者である。未来予測と政策研究は有機的関係にある。彼は、政策決定の戦略を示す際、将来の重要性のみならず、将来の長期・短期的な視界に起因するリスクと選好、価値体系を政策科学に統合したという点で学術的貢献が認められている。

現在、ドロアは九〇歳を超える年齢にもかかわらず、エルサレム・ヘブライ大学の名誉教授として旺盛な執筆活動を行っている。最近では、『第四次産業革命から人類を救うための新しい備忘録——政治指導者たちへの提言（For Rulers: Priming Political Leaders for Saving Humanity from Itself）』という本を執筆し、迫り来る人類の危機に対する解決策を示している。

彼は、現在の人類は進化の延長線上で、実存的危機を迎えていると診断しつつ、人類が直面している危機の実体を明らかにしている。核戦争から来る危機もあるが、（1）実験室での人間の複製、（2）人工知能を搭載した霊的機械としてのロボットの登場、（3）遺伝子実験、バイオとナノの結合を介して、永遠の命の追求などは、そのいくつかの例に過ぎないのである。彼は、このような人類の実存的危機を克服するために、今すぐ人類の政治指導者らが真剣に頭を突き合わせるべきであると主張しながら、具体的にどのような政策指針（Action Agenda）が必要なのかについても提案している。

老齢の碩学が生涯の最後の地点で、人類に投げかける診断と警告のようであるという思いに粛然とさせられる。一方、後輩学者として、今後展開される新しい政策科学は、このような根本的なテーマに対してどのようなアプローチと解答を用意していくべきか、より本質的な問題関心と省察が必要であるという点で、大きな宿題と話題を得ることになった。

◉小休止：ドロアの生涯

ドロアは一九二八年オーストリアのウィーンで生まれた。オーストリアがナチ・ドイツによって併合されると、一九三八年に家族と共にイギリスが委任統治中のパレスチナ（現イスラエル・ハイファ地域）に移住した。彼はその後二〇〇五年に「イスラエル賞（Israel Prize）」を受賞したが、受章の感想を述べる席で、高校に通っていた時期にユダヤ民族の未来について深く熟考するようになったと回顧している。

ドロアはエルサレム・ヘブライ大学で法と政策、社会科学を学び、一九五七年にハーバード大学で法学博士号を取得した。卒業後、法律家としての職を提案されたが、研究と教育を選択した。

その後、複数の国の大学および政策研究機関で働き、アメリカのカリフォルニア州にある、世界的な政策分析研究所のランド研究所（Rand Corporation）で最初の非アメリカ系研究員として勤めた。〔その後、イスラエルに帰国し〕母校のヘブライ大学の教授に就任した後、国際関係研究所に加わり、イスラエル国防省の政策企画・分析分野の顧問として活動した。二〇〇二年には非営利機関のユダヤ人政策企画研究所（Jewish People Policy Planning Institute）を創立し、その会長として、イスラエル首相と政府の顧問役を務めている。

現在、ヘブライ大学の行政・政策過程名誉教授を務めている彼は、「行政府の現実が私の研究室である」と、現在まで旺盛な活動を続けている。主な著書には、Public Policy making Reexamined（1968）、Design for Policy Sciences（1971）、Ventures in Policy Sciences（1971）などがある。本文で紹介した最近の著書、For Rulers: Priming Political Leaders for Saving Humanity From Itself（2018）は、韓国語でも翻訳本が準備中である。

予測と企画から政策科学まで（「From Forecasting and Planning to Policy Sciences」）
——エーリヒ・ヤンチュ（Erich Jantsch）の説

ヤンチュの問題関心——未来に備える政策科学を想像できないだろうか。

政策科学は、未来予測とは切り離して考えることができない概念である。未来という時間の軸と政策という空間の軸が相互補完的な関係にあるからである（権祈憲、2014）。つまり、政策科学の究極の目標である人間の尊厳性を実現するためには、未来の状況を科学的に予測し、戦略を立てる未来志向的な政策の設計が不可欠である。未来は不確実性（Uncertainty）と不確定性（Indeterminacy）の属性を持つ。このため、未来には無限の可能性が開かれており、単純により良い政策結果を出そうという断片的な目的ではなく、国家革新のための知識の融合を志向しなければならない。

そのため、政策科学と未来予測の接木は、将来の状況を単に予見（Foresee）や予測（Forecasting）するものではなく、技術・組織・社会を全体として展望する意味での未来予測（Foresight）であり、ここでさらに望ましい未来を志向するための戦略的・科学的行為であると言える。

ヤンチュ（Erich Jantsch）の政策科学的貢献もまさにこの部分である。彼の学術的活動舞台であった一九六〇年代と一九七〇年代の欧米は世界大戦が終わった後の経済発展期であり、第二次世界大戦の戦略と戦術が国家主導の経済発展・科学技術プロジェクトへと拡張されている時期であった。

ヤンチュの問題関心は政策科学と未来予測の融合であった。もし、政策科学を発展させるにあたって、未来という観点が含まれていなければ、政策は非常に漸増的かつ先例踏襲的な道具に転落するしかないと考えた。彼はこのような問題関心の延長線上で政策科学と未来予測の深い結びつきを試みたのであった。

解決策——未来予測は国家政策設計の中枢

ヤンチュが提示した政策科学分野における未来予測は単純な技術的予測だけではなく、より一歩進んで、未来の変化に対する探求と解決策の提示であった。彼の革新的な論文「予測と企画から政策科学へ（From Forecasting and Planning to Policy Sciences)」(1970）では、未来予測と政策企画が政策研究の核心的な役割を果たすべきである、と強調している。また、体制分析や管理分析ではなく、政策分析こそ、国家の未来を眺望し、企画、設計する国家最上位レベルの創造行為であるべきだと力説している（Jantsch, 1970: 33-37)。

ヤンチュは、人間の合理的な創造行為が国家的な規模の革新につながり得るという信念に基づき、人間の合理的創造的行為（Rational Creative Action）が政策決定（Decision Making)、政策企画（Planning)、未来予測（Forecasting）の段階を経て、国家革新（Innovation）につながると考えた。

人間の創造的行為に関して、管理的計画が行われる行政機能、戦略的計画が行われる目標設定機能、新しい未来志向的規範が創造される政策企画機能という三つの次元に区分し、未来志向的規範が創造される政策企画機能こそが、国の未来という価値が創出される創造的行為の本質であると考えた。したがって、このため政策企画は未来予測と密接な相互作用を経なければならない、と主張した。

また、未来予測は、国の未来を予想し（Anticipate)、将来の可能な目標から実現可能な目標を確率的に評価（査定）する行為（Probabilistic Assessment）と見ながら、それは政策企画と密接に連携して国の総体的な政策構造設計につなげるべきだと主張した（E. Jantsch, 1970: 33-37）。

問題解決の道筋を示す方向性——国家革新と政策分析の総合的体系化

ヤンチュは、政策が分析される過程を大きく、政策分析（価値分析、当為性：ought）、体制分析（戦略分析、実現性：can）、管理分析（運営分析、能率性：will）につながる三段階に区分した。このような三段階はそれぞれ「目的指向性（Know-Where-to）」、「内容志向性（Know-What）」、「方法志向性（Know-How）」に変えて理解することができる。

第一に、政策分析は政策が内包している当為性と政策の究極的な目標の人間の尊厳に対する価値分析を意味する。将来の予測は有意性（Relevance）とも密接に結びついている。

第二に、体制分析は政策の基本的枠組みに対する構造的設計であり、可能な活動と変化に対する内容分析である。戦略的次元で運用可能な活動から戦略システム構造に対する体制分析と実現可能性などを探求する段階である。

第三に、管理分析は、政策構造内での相互作用と達成できる行政運営的次元の能率性分析である。政策が予想通りに政策執行段階で効果的に作動するのかどうか、そして目標通りの効果性と効率性をあげているのかどうかなどについて点検して評価する段階である。

このように、ヤンチュの政策科学と未来予測学との学際的な結びつきは、その当時としては非常に先駆的な（Avant-garde）学術的貢献であった。また、国家最上位レベルの政策分析に関して、戦略分析及び管理分析とを結合させ、国家革新の総合的な目的、方向、戦略を提示したという点でも極めて重要な学術的貢献として評価される。

◉小休止：ヤンチュの生涯

ヤンチュは、一九二九年一月八日オーストリア生まれのアメリカの未来学者である。一九五一年ウィーン大学で天体物理学博士号を取得した。ウィーン大学の天文学者としてキャリアを始めた後に、スイスを含むヨーロッパなどで物理学者とエンジニア研究員として活躍し、アメリカのUCバークレーを含む多くの研究機関で講義と研究を行った。

ヤンチュは二〇に及ぶ国家と国際機関の顧問を務め、人類と地球の未来に関する解決策を考える非営利団体「ローマクラブ」の創立メンバーとしても活動した。一九七一年、国連資源委員会にオーストリアの代表として出席した。

彼は天文学者だったが、一九六〇年代以降、関心が高まった未来学分野にまで学問的領域を広げ、従来存在する未来予測と科学研究が価値中立的ではないという批判意識を持っていた。

彼の未来に対する学術的好奇心は、『技術的展望（Technological forecasting in perspective)』（1967）から始まり、『技術的な計画と社会の未来（Technological planning and social futures)』（1972）で未来像を具体化するために、人間と社会についての理解を重ねて強調し、彼の未来に対する問題関心は『自己組織的宇宙（The Self-Organizing Universe)』（1979）という本の執筆につながった。

ヤンチュは五一歳でこの世を去ったが、彼の学術的貢献は、彼が書いた多くの著書や論文、国際機関の報告書を通じて、今日まで政策科学、社会学、生態学分野に数多くの影響を及ぼしている。

実践的理性とは何か（「Recommending a Scheme of Reason」）
――チャールズ・アンダーソン（Charles Anderson）

アンダーソンの問題関心――どのような政策が良い政策なのか。

アンダーソンは、政策理論がより良い公共政策を作り出すための思考方式体系を提供すべきだと考えた。現代の政策決定においては、数多くの政策の利害関係者が参加しているので、これらすべての決定は、各自の個人的な信念や思考方式体系の影響を受けるので、異なるほかはない。

したがって、政策理論で重要なのは、何が良い政策であるのかについての共通した信念や価値体系についての基準や哲学を確立することである。そのためには、アンダーソンは、政策について熟考すること、その際に、個人により多くの自主性を与え、そして各個人が民主的で省察的になれるように、どのような哲学が必要なのかについて思考するようにすること、と考えていた。このような過程、すなわち問題解決のための〔哲学という〕新しい方法に関心を示し、より良い方策を用意する過程を「アンダーソンの思考方式過程」と呼ぶ。

アンダーソンは、長年築かれてきた政策科学と社会科学の伝統を検討した結果として、人間行為の理性を説明する三つの枠組み、すなわち（1）功利主義的経済モデル（Utilitarian Calculation）、（2）自由主義的政治モデル（Liberal Rationalism）、（3）実践的理性に基づく熟議〔民主主義〕モデル（Practical Reason and Deliberative

Democracy）を提示した。

解決策——政策決定のための思考方式の戦略

アンダーソンは、第一の理性としての功利主義的経済モデルと、第二の理性としての自由主義的な政治モデルだけでは限界があると主張し、実践的理性に基づく熟議モデル、すなわち、第三の理性こそ、民主主義的政策科学を実現する重要な政策分析モデルである、と強調した（権祈憲 2007: 198）これは、経済学的効率性、政治学的民主性を越えて、第三の理念が必要だという洞察を示すものである。

（1）功利主義的経済モデル

功利主義的経済モデル（Utilitarian Calculation）は、良い政策の判断基準を経済学的思考に置く。政策科学の戦略の一つが経済分析に基づいており、良い政策の判断基準を「最大多数の最大幸福」という多分に功利主義的価値に置くものである。個人が与えられた機会のもとで最適な満足感を求め、人々が自然に理性的に推理し、個人の満足を極大化すると仮定するなら、この功利主義が最適の思考方式であると信じられるのである。アンダーソンは功利主義的経済モデルが有する公共政策の有意性を検証するならば、それは政策決定過程においてB／C分析〔費用便益分析（Cost-Benefit Analysis）〕など明確な基準を提示できる長所があるとした。

しかし、これらの思考方式は、すぐに問題に直面することになる。というのは、仮に最大多数がやりたいことをやれば、それはどんなことでも正当化することができるからである。マイケル・サンデルは、〝正義とは何か〟で功利主義に基づく正義観の問題点を指摘して、極端な例ではあるが、ローマ帝国のコロシアムで、ローマ市民が喜び、望むなら、剣闘士がライオンと決闘することを容認しても良いのか、と問い直している。

(2) 自由主義的政治モデル

自由主義的政治モデル(Liberal Rationalism)は、良い政策の判断基準を政治学的思考に置く。政策科学の戦略の一つが政治分析に基づき、良い政策の判断基準を「自由主義」の価値に置く。自由には政治的自由と経済的自由を包含する。人間の内面の本来的理性には、政治的に自由であり、経済的にも貧困から脱した自由を渇望する欲求がある。「自由」こそ、人間の生活において非常に重要な価値を持つ。人間は誰にでも政治的自由と経済的自由を享受する権利があるということである。

アンダーソンは、自由主義的政治モデルを、個人の利益あるいは満足感を優先させる功利主義モデルよりも一歩進んだモデルであると評価し、合理的な個人が満足できる生活を営むために他人と共に共同体を形成し、他人の権利を尊重して自分のエゴを抑制するようになれば、個人の自由を超えて共同体の自由を享有できるとした。このような基準点がよく守られれば、共同体の構成員たちがお互いに異なる彼らの文化や伝統、歴史などと関係なく社会的信頼や肯定的心理の土台を形成することができる。

しかし、このような自由主義モデルも限界に直面することになる。マイケル・サンデルの批判によると、自由が正義あるいは幸福の基準として認められるのかという問題である。やはり極端な例ではあるが、例えば、腎臓などの臓器売買とか代理母の問題に見られるように、自分の身体なので売買することは自分の自由だと主張することができるかという問題に直面することになるのである。

そこで、アンダーソンは実践的理性に基づいた熟議モデルこそが民主主義的政策科学を実現する重要な政策分析モデルにならなければならない、と強調している(權祈憲 2007: 198)。

(3) 実践的理性に基づいた熟考モデル

実践的理性に基づいた熟議〔民主主義〕モデル（Practical Reason and Deliberative Democracy）は良い政策の判断基準として経済学と政策科学の思考を克服するものであると考える。

政策科学の戦略の一つとして、政策分析の土台となる、良い政策の判断基準は、「功利主義」や「自由主義」にのみ埋没せず、功利と自由を包含するが、参加と熟議を重要視する。

実践的理性（Practical Reason）とは、民主社会の市民なら誰でも持つ社会共同体の公共善と、より創造的な未来を追求する人間の内面に存在する普遍的な意志である（Charles Anderson, 1993: 223）。そして実践的理性に基づいた熟議民主主義とは、政策過程における多様な利害関係者の多くの参加と議論、熟議と討議を志向する実践的理性に基づいて政策倫理と政策討論を行うことを意味する。民主主義的政策科学を完成させるにあたって、実践的理性とそれに基づいた熟議的討論が非常に重要視される。

実践的理性は次の六つの特徴を持つ。

第一に、実践的理性は特別ではない、ごくありふれた人間の能力である。

第二に、人間は自意識を持ち、成し遂げようとする目標と目的について考える。

第三に、人間はすべての問題において思考し、反省する。

第四に、人間はすべての事案について批判的に考える。

第五に、人間は意味のある、そして価値のある決定を下す。

第六に、人間の事案についての良し悪しについて判断すべきか、善悪についての判断が必要かどうかを見分けることができる。

このような実践的理性を土台にして、人間は政策に対する正しい判断を向上させる方策を講じ、熟慮を通じて政策を決定することが最も望ましいということである。

問題解決の道筋を示す方向性——実践的理性に基づいた熟議民主主義

プラトンは人間が持つ善の意志について次のように語った。「私たちの理想の中に絶対善が存在し、まさに「それを」知ればそのように行うことになる」と述べた。アリストテレスは、人間の知の完成した知的水準の究極の目的、すなわちテロス（Telos）にはたして到達されたのかを問い、人間の意志が伴う行動によってこそ実践的理性が成り立つとしている。

アンダーソンはその政策の形成と評価について理性的思考方式の戦略を提示した。これをもとに功利主義的経済モデル、自由主義的政治モデル、実践的理性に基づいた熟議民主主義を提示した。何よりも、政策科学の本質である人間の尊厳を実現するためには、人間の共同善と人間の理性に対する深い洞察が盛り込まれた実践的理性に基づいた熟議民主主義が極めて望ましいとされる。

アンダーソンが提示した実践的理性に基づいた熟議民主主義は、行政家あるいは政策行為者たちが職業官僚としての責務とともに、市民としての責任性を合致させる政策モデルであると言える。

◉小休止：アンダーソンの生涯

アンダーソンは、ウィスコンシン大学政治学の教授であった。アンダーソンは一九五五年にグリネル大学で学士号を取得しており、一九五七年にジョンズ・ホプキンス大学で修士号を取得し、一九六〇年にウィスコンシン大学で博士号を取得した。一九六七年には、ウィスコンシン大学の教授になって、政治学者として全世界に名声を轟かせた。

また、彼はメキシコ、ラテンアメリカ諸国およびスペインの政治経済について数多くの研究を行い、その方面の権威者として活躍してきた。彼は特にラテンアメリカの政治および経済発展に関する教育および研究に重点を置いて数冊の本を著わし、ラテンアメリカの政治と経済的変化、スペインの政治、経済などに関心を持った。

一九八三年には、ジョンズ・ホプキンス大学の政治学部長に任命された。また、彼は一九九〇年に『実用主義的自由主義』を著わし、政治理論で最高のトレーダースピッツ賞（Spitz Award）を受賞した。引退後、彼は余暇の学習協会で複数のクラスを教え奉仕し、二〇一三年四月一〇日に七八歳で死去した。

PART Ⅱ　現代政策モデル——政策科学の理論モデル

政策決定モデル——アリソン（Graham T. Allison）

アリソンの問題関心——どのような決定が最も国益に影響を及ぼすか

キューバ・ミサイル危機事件について聞いたことがあるだろうか。それは人類を第三次世界大戦へと駆り立てかねない出来事であった。この時、アメリカとソ連の間で核戦争が実際に発生したら、人類は今のような形で生存していたかどうか、想像もしたくないそんな核戦争の危機が一九六二年一〇月に発生していたのであった。

当時、ソ連のフルシチョフ共産党第一書記は秘密裡にキューバにソ連の核ミサイル基地を建設しようとした。アメリカからわずか一二〇余キロメートル離れたキューバに射程距離一七〇〇～三五〇〇キロメートルの核弾頭を搭載することができる中距離弾道ミサイルの基地が建設中であった。これは偶然にアメリカのU－２偵察機によって発見されたが、直ちに報告を聞いたアメリカ大統領ジョン・F・ケネディは激怒した。

ケネディ大統領は直ちにアメリカ軍事安保会議を召集してホワイトハウス地下バンカーにおいて非常準備体制に

突入した。正常業務を中断して非常事態を宣言したケネディは数日間悩んだあげく、攻撃態勢を整えた、その後、キューバに対する海上封鎖令という超強気の命令を下した。同時にソ連の党第一書記フルシチョフにキューバからのどのようなミサイル打ち上げもアメリカのソ連に対する全面的な報復攻撃につながると警告して、二四〜四八時間以内にミサイルを撤収することを要求する最後通牒を出した。これに対して、フルシチョフはアメリカの海上封鎖は世界を核戦争へと導く攻撃的行為と指摘し、計画通りミサイルを積んだソ連の核航空母艦をキューバに向けて進めさせアメリカの海上封鎖線に近付いた。まさに一触即発の世界核大戦勃発直前状態だった。米・ソ核兵器が対峙する世界で初めての緊迫した数時間が経った後、ソ連核航空母艦はアメリカとの直接的な軍事的衝突を避けて舵を切った。その後直ちにフルシチョフはキューバのミサイル基地を閉鎖した。こうして一三日間の危機状況は終息した（權祈憲『行政学コンサート』、博英社、二〇一四年、一一七—一一八頁）。

当時、ケネディ大統領の決定に対してフルシチョフが対抗決定を行う確率は半分以上であったと専門家たちは見ている。それほど切迫した状況だったし、確率がそうであるなら、それは賭けであった。それは世界初めての核戦争につながる極めて危険な勝負であった（權祈憲『行政学コンサート』、博英社、二〇一四年、一一九頁）。

ソ連はどうしてキューバに攻撃用戦略ミサイルを配置しようとしたのだろうか。アメリカはどうして海上封鎖線を設置することで応酬したのだろうか。ソ連はどうして結局ミサイルを撤収したのだろうか（權祈憲『行政学コンサート』、博英社、二〇一四年、一一九頁）。

解決策——多様な利害関係者たちを考慮した政策モデルの提示

アリソンはキューバ・ミサイル危機事態をめぐるアメリカとソ連の政策決定の本質の究明に関心を示し、これを学問的に解こうとした。

アリソンは概念的な枠組みあるいはレンズを変えれば、世の中が確かに違ったように見えるという点を証明しようとし、三つの政策決定モデルを提示した。既存の国家行為者を一つの統一体と捉える視点を越えて、国家行為者をより細分化して、政府の下位組織の連合や、上級官僚や参謀たちの戦略的行為による政策決定モデルを提示することになった。それがまさに有名なアリソン・モデルで、合理的行為者モデル（モデル1）、組織過程モデル（モデル2）、官僚政治モデル（モデル3）と言う（權祈憲『行政学コンサート』、博英社、二〇一四年、一一九頁）。

（1）合理的行為者モデル

合理的行為者モデル（モデル1）は、政府をよく調整された有機体であると考えている。合理的行為者モデルは、国家政策の決定主体を国（政府）とみなす。国を分析の基本単位にして、政府の戦略的な目標を最大化するための最良の政策を導出するというものである。しかし、合理的行為者モデルによって捉えられるのは、現実的には極めて困難であるという限界があるが、合理的行為者モデルは、政策決定の規範的理想を示す点で意義を有する。

（2）組織過程モデル

組織過程モデル（モデル2）は、政府を半独立的な下位組織が緩やかに連結されている連合体とみなす。下位組織を通じて作られた政策は、標準化された作業手続（SOPs: Standard Operating Procedures）と組織プログラム（Program Repertories）によって微細な修正過程を経て政策として採択される。また、政府の各組織は優先順位に応じ、問題に対する自分なりの認知方法と解決方法を持っている。

(3) 官僚政治モデル

官僚政治モデル（モデル3）は、政府を互いに独立した政治的参加者の個別集合体であると見なす。官僚政治モデルは国家政策の決定主体を高位政策決定者個人と見る。すなわち、合理的モデル（政府）、組織モデル（政府下位組織）ではなく、各分野の政策決定者個人を政策決定の主体と見るのである。

官僚政治モデルは先の二つのモデルに比べ、組織の目標共有度が低く、政治的要素に焦点を置いている。政策決定過程に参加する官僚個人は国家や組織の利益のために集団の意思決定ではなく、官僚個人が思う国家、組織、個人の利益のために行動すると考えられる。多様な利害関係者が共に参加する政策決定過程は、政治的結託や相互の間の便宜追求のような形態の積極的な協力と協調の形で示される。

問題解決の道筋を示す方向性――政策決定のための多様なレンズ

アリソンは政策決定モデルの転機を作った。既存の経済学者たちが主張していた合理的行為者モデルを越えて組織のプロセスモデル、官僚政治モデルまで提示することで、個人、組織、政治を統合した政策決定モデルを初めて示したものである。アリソン・モデルは、我々が政策現象を分析する上で一つのレンズではなく、いくつかのレンズが存在することを示したという点では、大きな学術的貢献を果たしている。

アリソンの政策モデルは、複合的な政策決定を多角的に検討する。合理的行為者のモデルと組織過程モデル、官僚政治のモデルは、互いが関知していない視点を互いにそれぞれの観点で補完している。

例えば、フルシチョフの状況判断について、合理的行為者モデルの観点から見てみると、フルシチョフは周辺の多くの政治的ライバルと側近さえもよくまとめていない様子で、極めて限定的な情報に基づいて意思決定をしたことが把握される。彼の決定は非常に不合理なものと思われる。つまり、コストと効果の面で、彼が選んだ選択は非常に不合理なものと見なされる。

しかし、組織モデルの側面から見れば、これは最高統治者の意志とは関係なく、政府の下位組織間の力学関係（Organizational Process）によって決定され得ることを示している。また官僚モデルでは、大統領周辺の高位の政治行為者あるいは軍の中枢にいる参謀の間の高度な政治的ゲーム（Political Game）に基づいて決定されたことを示している。これは、最大限合理性が排除されたまま、自分たちの政治志向のためにミサイル配備の決定がなされた点を確認させてくれるものである。

キューバのミサイル危機の事例のように、韓国が経験している北朝鮮の核問題にも、これらのアリソンのモデルを適用してみることができる。合理的行為者モデルから見た北朝鮮は、核保有を通じて全世界的に高まっている非核化議論に反しており、これに伴う国際的孤立、周辺国の軍事的緊張感を高めることに伴う軍事的制裁、経済的な制裁などを甘受している。

しかし、組織過程モデルの観点から見るならば、北朝鮮の核ミサイル発射などの危険を事前に予想するために、北朝鮮の各下位組織の対応手順が適切に管理されているのかどうかを絶えず把握する必要があろう。韓国の方でも、敵の挑発と戦争などの緊急事態に下部省庁が適切に対応していなければ、これは、より大きな二次被害につながるからである。

また、北朝鮮内部の突然の政治的変化による急変事態や緊迫した形態の政策決定にも細心の注意を怠ってはならない。北朝鮮内部の政治ゲームに起因する核戦争という選択肢は決して選択が不可能なキーワードではないことを認識しておかねばならないであろう。

◉小休止：アリソンの生涯

アメリカの政治学者グラハム・アリソンは、一九四〇年三月ノースカロライナ州シャーロットで生まれた。彼は一九六二年にハーバード大学で学士号を取得し、以降一九六四年にオックスフォード大学で奨学生として二年で学士号を取得した。彼は極めて聡明で、哲学、政治学、経済学の最優秀卒業生賞を受け修士号を取得。以来、彼は、ハーバード大学に戻り、一九六八年に政治学の博士号を取得した。その後専任講師をはじめ、ハーバード大学の政治学科の教授として在職した。一九七一年に『Essence of Decision: Explaining the Cuban Missile Crisis』を出版して、キューバのミサイル危機についての研究を著わし、政府レベルにおける政策決定の分析において合理的行為者モデル、組織過程モデル、官僚政治モデルという政策決定モデルを適用するなど、学術的な貢献で広く知られた。一九七〇年代以降、核兵器とテロリズムに関心を有し、大統領安全保障補佐官に就任し、アメリカの安全保障と防衛政策を主導的に分析・諮問するなど、現実政治にも大きな貢献をした。

政策拡散モデル——ベリー・アンド・ベリー（William Berry & Frances Berry）

問題関心——政策革新、分裂された理論

政策の核心は革新と拡散にある。ウィリアム・ベリーとフランシス・ベリーは政策革新と拡散に関して問題解決の道筋を示す方向性を示す研究を行った学者夫婦である。彼らは、これまでの〔地方自治体における〕政策革新の

研究が行為者個人の動機付けと地域の内部要因にのみ偏っていることを発見し、他の自治体革新の模倣による〔政策〕拡散の効果、すなわち外部要因が欠如していることを発見した。

両人が研究を進めていた時代は、一九八〇年代のアメリカである。当時、アメリカは経済的不況を克服した後、民主党が政権を獲得し、国家の福祉政策が強化された時期であった。これによって政府は巨大化し、財政赤字が加速化していた時期であった。このような状況の中で、〔大統領選挙で〕共和党のレーガンが当選、肥大化した政府を縮小させるためにレーガノミクス（Reaganomics）が展開される。レーガノミクスによって、政府規制の緩和、税金の大幅削減、放漫な福祉予算の削減などが行われた。これはレーガン政権の新自由主義的マインドを示す部分であった。

このような政策基調は、州政府に対して財政的ジレンマをもたらした。アメリカの全体的な景気停滞と税収の低下は、州政府の財政圧迫につながり、これらの財政不足分の充当のために州宝くじ販売という政策の導入という現象をもたらした。このような雰囲気の中で、ウィリアム・ベリーとフランシス・ベリーは、肥大化した政府の原因はどこにあるのかを把握し、それを解決するために政策の革新と革新〔された政策〕の拡散過程について研究を行った。

また、ウィリアム・ベリーとフランシス・ベリーは、既存の研究者とは異なる方法論を示した。従来の研究では、地域内で革新が起こる側面と外部からの要因とを分けて研究を行っていた。

地域内部での要因を見つける場合、州内部で起きている政治、社会、経済的な側面だけを考慮して、外部からの〔影響を受ける〕要因については研究に反映されなかった。また、地域外部から〔影響を受ける〕要因を見つける研究の場合、地域内部の要因は反映されない面が存在した。この二つの研究方法は融合していなかったが、これに対して、ウィリアム・ベリーとフランシス・ベリーは新しいモデルを提示し、地域内部の要因と外部の要因との統合を追求した。

解決策——一つに統合された政策革新モデルの提示

ウィリアム・ベリーとフランシス・ベリーは、政策革新の拡散と変化についての説明に関心を示した。彼らが作成した一九九〇年の論文「State lottery adoptions as policy innovations: An event history analysis」は彼らの政策マインドを示す重要な論文である。この研究で、二人の教授は、「新しい政策を受け入れる時、政府はどのような点に考慮を払うのか」についての質問を投げかけた。先行研究では、多くの学者たちは、二つの原因を提示したが、そのうちの一つは、「地域拡散理論」であり、もう一つは「内部決定要因モデル」であった。

第一に、「地域拡散理論」は、政策革新を行った地域からそれが隣接地域に広がる理論である。しかし、この理論は内部の政治や社会経済的な要因を反映することができず、政策が採択される理由を地域的拡散と見る傾向があった。

第二に、「内部決定要因モデル」は「地域拡散理論」とは対照的に、内部の政治、社会経済的な要因だけで説明するモデルとして、外部の要素の反映がなされなかった。当時は二つのモデルを統合する適切な方法が存在せず、両方の理論の違いを克服し、一つのモデルとして提示されていなかった。

両教授は、このようなアプローチを批判し、融合できる政策革新モデルに関する研究を進めた。政策革新について、内部的な要因は必ず反映されるだけでなく、外部的な地域からの影響も必ず存在すると考え、両教授は、様々な観点から要因を分析する一方、州宝くじ販売政策の事例を取り上げて彼らの主張を立証する研究を進めた。

両教授は、まず、ムーアの理論を適用して研究した。ムーアの理論によると、政策革新は革新へと向かわせる動機、革新を阻む障害の大きさ、障害を克服する資源等に分けられる。このような動機と障害物、そしてそれを克服する資源は州内部の要素とみられる。両教授はこの理論を土台に州宝くじ政策の事例を説明した。

また、両教授は「事件の史的分析（event history analysis）」という実証的分析手法を編み出して、従来の研究とは異なる主張を行った。事件史分析は、政策の変化を特定した時点において起きた事件を基準にして、該当事件が発生した要因を検討する手法である。この時、発生要因は量的な変化ではなく、質的な変化として捉えられ、該当要因が個人や集団に与える変化を測定し、説明する。

両教授は、上記の理論と方法を用いて州宝くじ販売政策の新たな統合的な拡散理論を示すことに成功した。州宝くじ販売政策は政府の財政状態が不安定で選挙が近い年度に実施され、次に与党の力が強力なときに、そして他の地域が導入した場合が多いほど、州宝くじ販売政策を導入する傾向が高まる結果を〔事例研究から〕導き出した。これは州の財政状態と州の政治状況を反映しながらも、多くの隣接州で宝くじ販売政策が施行されるほど宝くじ販売政策の導入される確率が高くなるという「隣人効果」と「拡散効果」を実証的に示したものである。これらの点を踏まえ、ムーアの理論を基にした政策拡散モデルが誕生することになり、これは「内部決定要因モデル」と「地域拡散理論」の統合モデルを意味している。

この論文以後も、自分たちの理論を強化するための論文である、「Tax Innovation in the States: Capitalizing on Political Opportunity」を発表する。この論文では、課税政策の革新に関する内容を盛り込み、課税政策革新の拡散について州の経済状況や選挙サイクルなどの政治的要素、国民の担税力をはじめとする地域の拡散要因を追加した。この研究は、政策革新の拡散に競争と学習、国民などの圧力、そして政府の形態の要因などを追加し、政策拡散の理論的スペクトルを広げたことが評価された。その後手堅い研究活動を進めながら、両教授は、政策拡散の新たなモデルを提示し、これをアメリカ政府の歴史に適用しながら、新しい理論を確かなものに構築した。

問題解決の道筋を示す方向性——論理実証主義の厳密性、統合理論の提示

両人の研究は、政策の革新と拡散モデルに大きく貢献した。政策は、決定を通じて新たな技術革新が導入されて、革新は、拡散を通じて共有されるべきである。特にベリーとベリーモデルは自治体革新研究における他の自治体の政策革新の模倣効果を考慮することにより、政策革新研究にとって分岐点となった。政策革新と拡散は、政策革新の模倣効果により、時間軸でS字カーブの形を描きながら進行することを明らかにし、地域的拡散モデルと州間の相互作用モデルを提示する一方で、州次元での革新の一般的なモデルを提示した。政策革新の一般的なモデルは、自治体が持つ動機、資源と障害要因、他自治体の政策、模倣効果などを総合して、自治体が特定の時点で持つようになる政策の革新と拡散効果を測定したものである。

政策革新に関する研究は、一九六〇年代から活発に行われた。そして、同研究が多くの地方自治体の政策革新の事例でも行われ、それぞれのモデルに関する学者たちの多くの研究が出された。しかしこれらの研究には、政策革新の拡散理論については、「内部決定要因モデル」と「地域的拡散理論」は結びついていなかった。これに対して両教授は、過去の惰性となっている政策科学研究を批判し、一つの統合された方法論を提示したのである。このような問題関心は、既存の学者の間で対立していた内容を融合させ、政策科学者が新しく進むべき道を示すことによって、統合された理論モデルを導き出せるようになったのである。

また、両教授は、このような社会科学研究において、厳格かつ実証的な研究方法を強調した。実際、社会現象は非常に複雑な要因によって発生し、これを回帰分析や事件史分析などの方法を通じて正確に診断することが重要である。これに基づいて両教授は、明確な因果関係把握を最も重要な目標とし、検証方法の論理的な説明を通じて自

分たちの理論を証明した。
これらの点は、現在でも両教授の「State lottery adoptions as policy innovations: An event history analysis」の論文が数多くの所で引用される基盤を作ったのである。

◉小休止：ベリーとベリーの生涯

ウィリアム・ベリーは一九七四年にワシントン大学で数学専攻で学士号を取得し、一九八〇年にミネソタ大学で政策科学博士号を取得する。以後一九八四年までケンタッキー大学政治学科助教授を務め、一九八四年から一九九〇年まで政治学科副教授を歴任した。現在はフロリダ州立大学「Democratic Performance」センター所長を歴任して、フロリダ州立大学の行政大学院教授で政策革新と公共政策に対する研究及び講義を行っている。

〔夫人の〕フランシス教授はワシントン大学で政治学の学士号を取得し、ミネソタ大学で行政学の修士号と政治学の博士号を取得した。その後、一九九〇年に教授職を務める前にミネソタ立法分析家としてスタートし、CSG（Council of State Governments）で研究および理事として一五年間実務者として働いた。一九九〇年にフロリダ州立大学教職に就き夫と合流し、地方政府に関する管理及び政策コンサルティングの研究を行う。彼女は政策革新および政策拡散に関する数十の論文を「Management Review」、「American Journal of Political Science」などに寄稿した。これらの学術的貢献が認められ、アメリカ公共行政学会、ASPA（アメリカ政治学会）とアメリカ公共行政政策科学会（NASPAA）から研究賞を受賞し、公共行政分野に重要な影響を与えた人物として選ばれた。現在はフロリダ州立大学行政・政策担当副教授として公共政策プログラム評価、戦略および成果管理に関する研究を進めている。

政策分析モデル――ウィリアム・ダン（W. Dunn）

問題関心――複雑になる社会問題と政策分析

ウィリアム・ダンは一九六四年にUCサンタバーバラ大学（University of California at Santa Barbara）を卒業し、政策科学について研究した学者である。ダンが生きていた一九六〇年代、アメリカは様々な人種問題と女性のジェンダー問題などが浮き彫りになり、従来の体制に抑圧されていた〔人々の〕不満が噴出した。その後、一九七〇年代ベトナム戦争の敗北とオイルショックなどにより物価の上昇が続き、これによる社会の低所得層の救済政策が拡大していた。それに対して〔それらの政策に反対した共和党のレーガン大統領主導下の〕アメリカ政府は、小さな政府を目指し「レーガノミクス」を実施し、肥大化した福祉支出を削減するなどの政策を推進した。

当時の社会科学者たちは、政策問題について幅広い解決策を模索する研究を行っていたが、政策問題を説明するための政策モデルや政策実験は行われておらず、そこでウィリアム・ダンはこのような問題認識の中で政策分析に関する基準およびモデルを確立しようとした。

社会がますます複雑になるにつれて社会問題の原因も複雑になり、これに対する政策の分析もまた精巧になる必要があった。一方、政策科学は学問の分化と分科学問の閉鎖的な現象により、社会現象を全体として正しく分析できない状況が発生しており、ダンはこのような現象に対して懸念を示した。これに対して、彼は、社会問題に対する統合的な政策分析と未来予測を強調した。

解決策――統合的政策分析モデルの提示

ダンは、政策分析モデルの分岐点を作った。彼は「未来」という視点を政策分析に導入して、独創的な理論を提示する一方で、「可能なら、実現が望ましい改善点」と「実現可能性」という二つの基準に基づいて政策分析が進められるべきであることを明らかにした。つまり効果性、能率性、対応性、衡平性、適正性、適合性で構成された可能なら実現が望ましい改善点と、政治的実現可能性、経済的実現可能性、社会的実現可能性、法的実現可能性、行政的実現可能性、技術的実現可能性によって構成された実現可能性が総合的に測定されるべきだと主張した。

統合的な政策分析は政策問題を正確に定義することから始まるが、ダンはこれを構造化して正しく定義するようになれば、政策問題の解決策を適切に設定することができると主張した。そのためには、問題を認識し、深層的に分析して定義しなければならない。このような方法は、境界分析、分類分析、階層分析、類推分析、複数観点分析などがあり、これは問題構造化に役立つものである。

政策分析に「未来」という観点を取り入れ、時間軸を設定した点も非常に重要な貢献である。政策分析は過去志向的な問題紹介のみならず、未来志向的な問題紹介が必要であり、このような時間軸は政策問題を中心部（Core）から問題構造化（Framing）する上で重要に作用する。ダンが提示したこのような問題構造化作業は、期待される政策結果と選好された政策結果との間のギャップを測定するのに役立ち、期待される政策、選好された政策、観察された政策は、総合的に政策分析に影響を及ぼすことになる。

このように、ダンの重要な政策科学的貢献は、政策分析の統合モデルを提示したという点とともに、政策分析において未来予測を取り入れたという点である。

問題解決の道筋を示す方向性――学問的寄与と政策科学の現実適合性向上

ダンはアメリカで多くの社会問題が噴出した一九七〇―八〇年代の時代を生きながら、正確な問題診断と国家によって実行される政策の分析基準を適切に示した。彼は政策分析と政策決定過程に対する新しい統合的理論を提示し、政策科学を単純な理論的側面だけにとどまらず、現実適合性の高い学問へと転換させることに大きく貢献した。

ダンの研究は、社会問題を診断し、正確な改善点を探しながらも、政治的、社会的要素を投入して、必要な情報を創出し、コミュニケーションを重要視したという点で意義を見出すことができる。効果性と能率性も重要だが、政治的に社会的に実現可能性をまず確認して政策を実現しなければならず、単なる行政的解決策ではなく、コミュニケーションを重要視する政策科学を提唱したのである。

ウィリアム・ダンは政策問題の改善において未来を予測し、期待される結果の価値と効用を測定することが不可欠であることを強調した。これは、未来志向的な政策分析の重要性を強調したものである。このような点は、政策科学が既存の理論的学問風土あるいは抽象的モデルにのみ執着することから脱皮し、現実の社会問題を具体的に見つめ、解決策を探し出し、実現するにあたり、政策科学の現実適合性を向上させるために大きく寄与した。

◉小休止：ウィリアム・ダンの生涯

ウィリアム・ダンは一九六四年、ＵＣ大学で政策科学の学士号を取得した後、クレアモント大学院で博士号を取得した。その後、公共政策の分析、哲学と社会学、研究の設計と方法、定量と質的方法に関する講義を行っており、該当分野の研究業績において優れた世界的な政策科学者である。

彼は一九八一年に『政策科学原論』を執筆し、この本は現在まで三〇年以上アメリカをはじめとする全世界で政策に関連する大学院と大学の授業の教材として活用されるほど、政策科学分野において大きな影響を及ぼした。加えて、国際経営、組織理論、政策分析および評価方法論、批判的理論および公共行政、研究の設計および混合理論などに関する数多くの研究論文を著わした。

これらの功労は数々の学術賞と政府からの功労賞につながり、近年の二〇一七年九月にも長官賞を受賞する業績を残している。また、彼はUC行政学科教授とニューハンプシャーにある政策研究機構（Policy Study Organization）会長を歴任し、現在はピッツバーグ大学で教授として公共政策分析と政策科学方法論と認識論などの講義を行っている。

政策の流れモデル——キングダン（John W. Kingdon）

問題関心——なぜ一部の問題だけが政策議題になり、他の問題は放置されるのか。

花のような青春、檀園高校の生徒三〇〇人を含む三〇四人の生命を奪ったセウォル号惨事を覚えているだろうか。あの事件があってから九年以上経ったが、あの時の残酷な状況は忘れられない。この事故によって、統合的な国家の災難管理のための災難安全総括部署の必要性が浮上し、政府は海洋警察庁および消防防災庁の廃止、国民安全処の新設という極端な方策を打ち出すに至った。政策科学的観点から捉えるなら、この事例はセウォル号惨事という焦点となった問題の解決の道筋を示すいろいろな政策の流れの結合による政策パラダイムの変動である。こうした政策の流れの結合、すなわち「政策の流れ」モデルを創始したのはキングダンである。

まさにこのような政策決定過程の実相について、それをどのようにすれば解き明かすことが出きるのか、キングダンはそれについて思考をめぐらせた。政策は果たして段階的な形で順次決定されるのだろうか。なぜ、ある問題は事件発生後、即座に対応がなされるが、他の問題は取り上げられず放置されるのか。このような問題についてキングダンは思考をめぐらせたのである。

社会には数多くの問題が発生する。しかし、注目すべきことは、そのような問題が発生する度に直ちに政府が動かないということである。政府が社会問題を認知し、これに対する多様な解決策を示して、それに伴う解決策を評価した後、最適の解決策を選択する形で一連の単線的な過程によって行われない場合もしばしばである。つまり、社会の問題と既存の様々な解決策が入り混じった中、ある特定の状況で政策が作られたりもする。それではこのような「非定型的」な政策決定を最も適切に説明する方法は何だろうか（権祈憲『行政学コンサート』、博英社、二〇一四年、一一六頁）。

キングダンが大学で学んでいた一九六〇年代には、黒人の人権運動、ベトナム戦争、反戦運動など、多くの政治問題、社会問題が発生した。以後、一九七〇年代にはオイルショック、景気後退など経済問題が表面化し始め、一九八〇年代には、景気後退が深刻な問題となった。当時の大統領のレーガンにより、レーガノミックス（Reaganomics）という新自由主義的な経済政策が導入されたが、最終的にはアメリカ社会の失業率は上がり、ＧＮＰが下るなど景気後退が起こった。キングダンはこのようにいくつかの社会問題が表面化する時代の中で、すべての社会問題が政策議題にならないことを認識するようになった。とりわけ「何故に黒人の人種問題は、政策議題にならないのか」、「何故に一部の問題は、事件発生後、直ちに対応がなされるが、他の問題は取り上げられず、放置されるのか」。

彼はまたこう悩んだ。「果たして政策過程は、過去に学者たちが説明してきたように、問題が指摘され、それをきっかけに政策議題が作成され、その結果、政策決定が行われるというような単線的な形なのか」、「実際に政策決定過程がこのように段階的かつ順次に行われるのだろうか」。

キングダンは数多くの社会問題のうち、なぜ一部の問題だけが政策として取り上げられるのか。また、政策過程が段階的かつ順次に行われないとすれば、どのような方法で新しい立体的モデルを設定すべきかについても思考をめぐらせながら学問的な疑問を抱くようになった。

解決策——立体的政策の流れモデルの提示

キングダンは『Agendas, Alternatives, and Public Policies』（1984）〔笠京子訳『アジェンダ・選択肢・公共政策』、勁草書房、二〇一七年〕という著書で、これらの問題を解決できる新しい政策決定モデルを示した。つまりキングダンは「ゴミ箱モデル」の基本的な考え方を借りて、新しい政策決定モデルの「政策の流れモデル（Policy Stream Model）」を編み出したのである。

「ゴミ箱のモデル」はコーヘン（Cohen）、マーチ（March）、そしてオルセン（Olsen）が提唱した政策モデルである。〔大学の教授会の例が示すように、会議に教授たちが出たり入ったりするが、その過程でいろいろな意見が表明され、意見交換が行われる中で、ある一つの結論が見出されるように〕政策は決められた順序に従って決定されるのではなく、意思決定の内容はゴミ箱に投げ込まれ、ゴミ箱の中から、ある日、必要な書類を再び探し出すように偶然な状況で決定がなされるというのが核心的な内容である（權祈憲『行政学コンサート』、博英社、二〇一四年、一六三頁）。

これに対して、キングダンの「政策の流れモデル」は、政策の問題と政策解決策、そして政治の流れが各々がそれ自体独立した流れであるが、それらが劇的な出来事（焦点となる出来事〔Focusing Event〕）によって、突然、大衆とメディアの注目を受けるようになり、急速に政策決定につながって行くプロセスを説明することで、既存の非定型的な政策決定過程をより具体的に示したのである。

キングダンによると、互いに無関係にそれぞれのルールに従って流れる「政策問題の流れ（Policy Problem Stream）」、「政策解決策の流れ（Policy Alternative Stream）」、「政治の流れ（Political Stream）」が問題解決の道筋を示す焦点となる出来事をきっかけに、三つの流れが結合（Coupling）されるという。この現象を彼は、「政策の窓（Policy Window）」が開かれると表現した。

キングダンは特定の事件、すなわち問題解決の道筋を示す焦点となる出来事の重要性について強調したが、とりわけ政権交代と劇的な事件が「政策の窓」を開く点火装置として作用すると考えた。政策の窓が開かれたということは、それぞれの流れが結合される「機会」を意味し、特定の政策解決策を好む人に与えられる絶好の機会だと言える。

問題解決の道筋を示す方向性——複雑な社会問題を解決するための理論的レンズ

キングダンが作成した「政策の流れモデル（Policy Stream Model）」は、ますます複雑になる社会問題と、これを解決するための政策が決定される過程を単なる一連の過程とは考えないのである。逆に政策決定過程の非合理性と曖昧性を認識することで、複雑で手に負えない危険極まりない諸問題（Wicked Problem）に対する解決の糸口が見出されるのである。

多元化された社会では、問題の原因が何なのか、その解決方法は何なのか、さらには問題の本質が何なのか、正確に定義できない複合的問題（Wicked Problem）が絶えず登場している。このような問題は既存の定型化されて合理的な問題解決方式では解決しにくいものである。問題解決過程において非合理性と曖昧性が認識されてこそ、問題解決の糸口が確保できるのである。

「政策の流れモデル」は現代の政策モデルの中で最も影響力のあるモデルとされている。その理由は、モデルが現代社会でよく発生する大災害を含む劇的な事件をよく説明してくれるからである。特に最近では、大型災害事件が担当者の安易な対応や人的ミスと重なり、政策問題はますます複雑になっている。

このモデルは、私たちの社会が抱えている危機と根本的な問題は、どのようなものか、そして、これらの政策の解決策として、どのようなものが政策共同体で議論されているのか、政界はこれらに対して普段どのような努力を払っているのかを綿密に調べ、それらに対する創造的な解決策を模索できるように助けるという点で、大きな学問的意義を有する。

◉小休止：キングダンの生涯

キングダンは一九八〇年代のアメリカ政策科学の巨匠である。彼は公共政策研究に対する持続的な貢献で、一九九四年 Aaron Wildavsky 賞を受賞し、現在はミシガン大学の名誉教授である。彼はアメリカ政府と政治、公共政策、そして立法を主要な研究分野として研究を進めながら、『Agendas, Alternatives, and Public Policies』、『America the Unusual』など、影響力のある多数の著書を公刊した。

キングダンが提案した「政策の流れモデル」は、政策議題の設定や政策決定過程を分析する理論モデルであり、いかなる政策モデルよりも広く活用されているモデルである。災害管理、安保分野はもちろん、一般の政策現象を説明する広範囲な説明力を持つ理論として評価されている。

政策唱道連合モデル――サバティエ（Paul A. Sabatier）

問題関心――不確実で複雑な社会問題を説明する理論

ポール・サバティエが生まれた一九七〇年代のアメリカは、黒人と白人との葛藤やベトナム戦争の激化、反戦運動、冷戦と宇宙開発競争など激変の時期であった。急速な社会変化による不確実性と複雑な社会問題が出現し、それを解決するための方策として、政策科学は、社会問題の正確な分析と根本的な解決策を提示する必要に直面した。このような社会的背景の中で、サバティエは政策科学の魅力に引きつけられ、とりわけ政策執行に対して高い関心を示した。

政策科学の創始者ラスウェルは、政策の過程を「政策議題設定－政策決定－政策執行－政策評価」の四段階に区分した。このようなラスウェルの伝統的な政策過程理論に対してサバティエは疑問を感じた。政策過程理論は政策過程の段階的な流れを把握するのに有用なモデルではあったが、多様な要因が相互作用する政策の動態性と複合性を立体的に説明するには物足りないと判断した。すなわち、単線的なモデルでは、時間の流れによる政策変動過程を説明するのに限界があり、政策執行過程の複雑で不確実な政策現象を説明することも困難であると考えた。

多様な行為者が関与する政策が長い間漂流している内に、実施されたり、消えたりもするが、サバティエはどのような要因によって政策変動が動態的に発生しているのか気になった。まさにこのようなことがサバティエをして新しいモデルの作成へと導いたのである。

実際には通常、重要な政策事案には数百人の行為者が関与することになり、政策過程も一〇年以上進められることも多い。また、一つの政策の中でいくつかの政策プログラムが同時に進められることもある。果たして伝統的な政策過程理論は、このような現実的な政策現象を適切に説明しているのだろうか。果たして政策現象は、議題設定→政策決定→政策執行→政策評価のように単線的な構造で進められるのか。そして政策過程で進められる多様な関係者グループ間の動態的に進められる多様な葛藤の様相や政策信念などをよく反映して説明しているのか（權祈憲『行政学コンサート』、博英社、二〇一四年、一七一頁）。

解決策——立体的政策モデルの構築、政策唱道連合モデル

サバティエは政策唱道連合モデル（Advocacy Coalition Framework: ACF）によって、政策の過程は多様な行為者たちが連合し合い、そして連合した者たちの間のゲームと交渉の過程と見なした。そして信念を共有する集団が新たに出現して、集団間の関係が変化することで政策の変動も発生すると説明した。

彼は著書『政策過程理論（Theories of the Policy Process）』で自分が主張した総体的な分析による立体的政策モデルの政策唱道連合モデルを提示した。

サバティエは、政策の形成過程を個人、集団、連合間のゲームと交渉の過程と見なした。彼は政策唱道連合モデルを通じて多様な利益集団と利害当事者を含む政治的行為者の間で目標の不一致と技術的論争の解決過程で政策が

図表1　政策唱道連合モデル

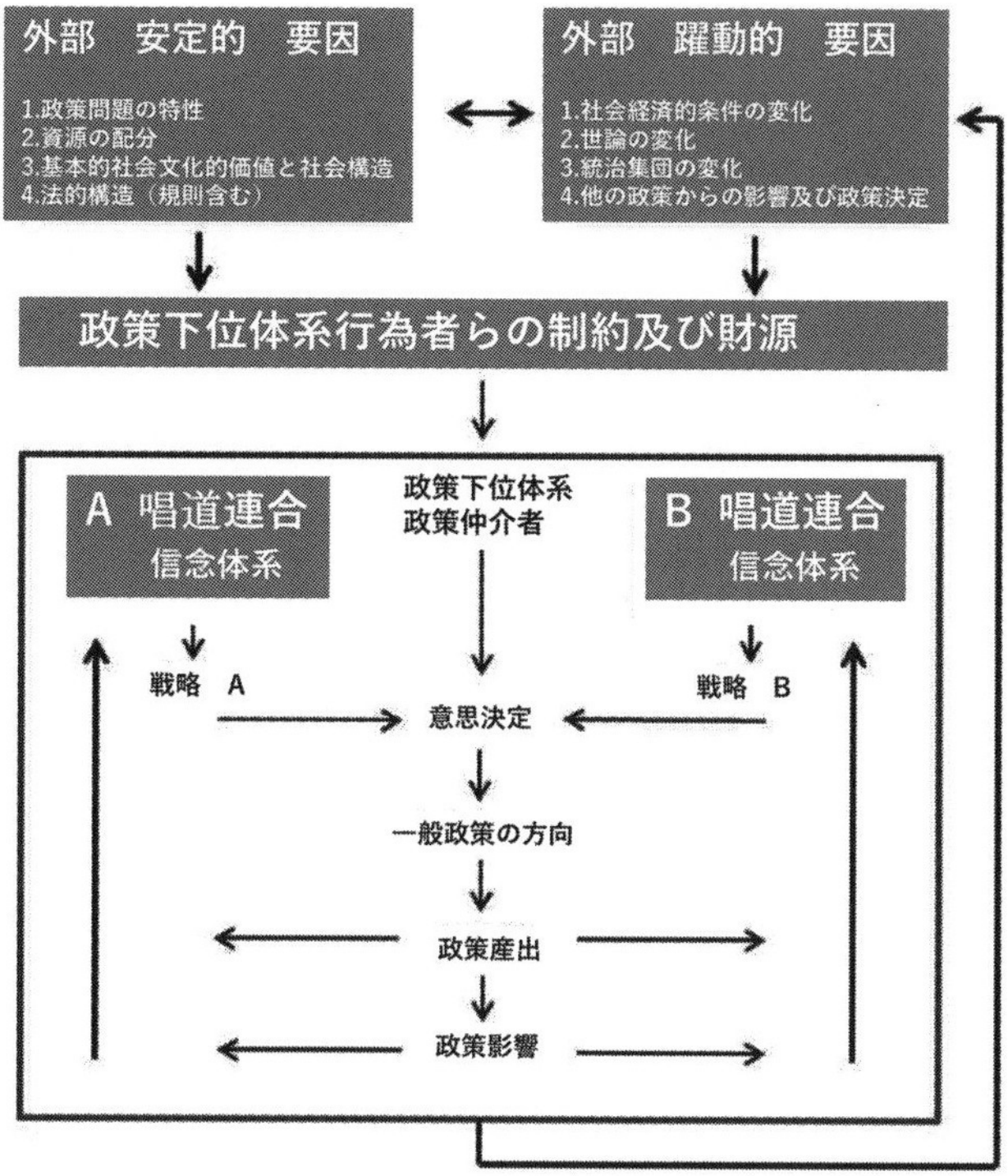

決定され、政策の過程を単線的展開ではなく、政策の形成と執行、再形成をめぐる闘争が繰り返される過程と仮定した。また政策唱道連合モデルは、政策の行為者を信念を共有する集団間の連合と見なし、分析単位の側面から個別的行為者を分析するのではなく、政策の下位体系とその体系内の唱道連合を分析単位とした。

　これらのサバティエの唱道連合モデルは、次の三つの内容を核心とする。

　第一に、特定の政策問題や争点に積極的に関心を持つ人々が、その領域に影響力を行使しようとする。

　第二に、政策の確固たる信念を説明するために、一〇年以上の長期的な政策変動の分析が必要である。

　第三に、政策には、価値に対する優先順位と価値実現のための因果関係が含まれるべきである。政策唱道連合モデルの構造は図表1のようである。

政策唱道連合モデルは外的変数、政策唱道連合、信念体系、政策仲介者、政策学習、政策産出、政策変動などで構成される。

外的変数は、特定の政策を唱道しようとする集団の形成と活動を制約するとか、機会を提供するのに決定的な影響を及ぼす。外的変数は安定的な外的変数と躍動的な外的変数に区分され、安定的な外的変数は政策問題の基本的特性、基本的な社会文化的価値と社会構造、法的構造などを代表的な例として挙げることができる。躍動的な外的変数としては、社会・経済的条件の変化、世論の変化、統治集団の変化などを代表的な例として挙げることができる。

政策唱道連合は、一定の政策領域や下位体系の信念を共有し、連合する利害当事者を意味する。政策過程において、競争と協力を通じて自らの目指す目標を達成するために、志の合う人々と連合を形成し、協力することが必要である。

信念体系は、政策下位体系の連合間で共有される共通の価値であり、政策に対する認識、政策手段に対する同意などがある。信念の体系は規範の核心、政策の核心、道具的な側面で構成される。

政策の仲介者は連合間の対立や葛藤を仲裁する役割を遂行する第三者を意味する。政策の仲介者は連合間の葛藤と対立を仲裁、緩和し、合理的な妥協点を見出す役割を遂行する。

政策学習は経験による信念体系に対する考えや行動の変化を意味する。政策唱道連合間の政策学習を通じて政策が生まれ、それ以前の政策とは異なる政策が生まれた時に政策変動が生じると言える。このような変化は政策執行過程の変化にもつながる。

政策唱道連合モデルは、理論モデルに限定されるものではなく、現実の社会的葛藤あるいは争点などを効果的に理解し、説明する上で分析の基準になるという点で、伝統的な政策決定モデルとは大きな違いがある。このように、複雑な社会現象と政策、利害当事者間の関係を立体的に説明することが、サバティエが政策唱道連合のモデルを作成した意図であり目的でもある。

問題解決の道筋を示す方向性——根本的社会葛藤を解決するための政策唱道連合モデル

政策決定は多様な集団と利害関係が衝突する領域である。個人または集団は、互いに共有する信念を通じて、互いに連合し、利益のために競争し、対立する。しかし、サバティエ以前の政策科学理論は、政策が形成される過程に対する単線的な過程だけを主張していた。そこで政策の形成において環境、集団など様々な要因を考慮した多次元的で立体的な政策唱道連合モデルは政策科学において大きな意味を持つ。

サバティエモデルは現代の政策モデルの中で最も影響力のあるモデルの一つに挙げられる。現代社会には、政策利害関係において陣営論理がしばしば発生するためである。現代社会は多様な階層間、理念間の葛藤によって政策を見る見解が対立する場合が多いが、この時、二つの対立する陣営間の政策変動をよく説明できるモデルがサバティエの政策唱道連合のモデルである。

◉小休止：サバティエの生涯

ポール・サバティエ（Paul A. Sabatier）はシカゴのマサチューセッツ大学で政治学を専攻し、UCで教授として在職している。彼は主に公共政策の変化に影響を及ぼす要因分析、中でも政策の執行と政策の信念体系を中心に分析した。

サバティエは一九四四年にニューヨークで生まれ、ミッドランド高校に通い、マサチューセッツ大学で政治学を専攻した。シカゴ大学政治学博士課程を修了し、博士学位論文は「社会運動と規制機関：NAPCA-EPA市民参加プログラム」というテーマで作成された。サバティエは現在、UCデイビス大学（University of California, Davis）で公共政策、政策決定、環境政策、環境政策の倫理問題などを中心に学生を指導しており、ヨーロッパの公共政策、政治、環境政策と企画に関する学会誌などで編集委員長を務めている。サバティエは、長い期間、公共政策の変化と〔それに〕影響を及ぼす要因について分析した。その過程において、政策エリートの信念体系における役割、科学的情報に対する役割について重要な分析を行った。サバティエは、政策執行、政策が外部環境的要因と政策志向学習の影響、政策体系や唱道連合の変化などの要因によって変化することを核心内容とする政策唱道連合モデルを示した。この理論モデルは政策科学において広範に使用されており、多くの学者によって多様な分野で適用して説明されている。

社会的構成モデル——イングラムとシュナイダー（Helen M. Ingram & Anne Larason Schneider）

問題関心——社会問題解決のための新しい政策的アプローチの必要性

一九八〇年代と九〇年代、アメリカは多様な社会問題の解決のために、画一的ではなく社会的文脈に対応した政策を展開していた時期であった。それに呼応する形でヘレン・M・イングラム&アン・ララソン・シュナイダーは政策対象集団の社会的文脈に焦点を合わせ、政策対象集団の社会的文脈（政治権力および政策イメージ）がこの政策研究において決定的に重要な要素であると考えた。

現代政策過程は多様な利害関係者たちが参加し、政策過程において予測できない問題や葛藤がたびたび発生する。しかし合理的選択理論、費用便益分析のような効果性、能率性を強調する科学的合理主義と技術的合理性だけではこのような問題は解決できない。科学的合理主義と技術的合理性は特定の政策がどうして形成されて、その結果がなぜそのように現れたかというような政策問題の複雑性を説明するのには限界があるからである。また、過度の合理性と客観性を強調する機能主義的アプローチはヒューマニズムを無視して現実を見落とす問題点があると指摘されている。

政策が常に合理性によって客観的かつ公正に執行されるわけではなく、便益提供においても個人または集団間の公平性が常によく守られるわけではない。ある集団には政策的に恩恵がより多く与えられ、ある集団には常に恩恵よりは負担がより多く負わされることで、集団間恩恵の不均衡による葛藤の素地はいつも発生する。

そこで、ヘレン・M・イングラム＆アン・ラランソン・シュナイダーは、このような不公正な政策を説明するため、そして政策の決定、執行、評価過程に影響を及ぼす様々な変数を明らかにするために政策設計に注目し始めた。彼らは複雑化する社会環境を考慮し、政策の対象となる集団をそれぞれの特性に合わせて細分化し、定義することに苦心した結果、政策対象集団の社会的文脈（政治権力および政策イメージ）にその答えを見出したのである。

解決策——社会的構成モデルの提示

イングラムとシュナイダーは社会的文脈を「人々の生き方に意味と解釈を与える信念、認識、そしてイメージと枠組み」と定義した。このように、社会現象の文脈と政策の相互作用を通じて政策が決定されるので、政策の目的、政策対象集団に対する理解、そして政策が形成される過程を理解するためには、社会的文脈に対する理解が不可欠であると言える。

イングラムとシュナイダーは、このような内容をもとに二〇〇七年にピーター・ドレオン（Peter DeLeon）とともに社会的構成モデル（Social Construction Model）を提示した。社会的構成モデルとは、既存の合理性を基盤とする画一主義的な機能主義を批判し、政策を設計する上で社会的な文脈の重要性を強調する理論である。彼らは社会的構成モデルにおいて政策対象となる集団を社会的イメージと政治権力を基準に四つの集団（恩恵集団、主張集団、依存集団、離脱集団）に分類し、政策変化による費用負担の方向と政策決定が行われる過程について説明した（Ingram et al. 2007）。

社会的構成モデルは、経験的・計量的単純化を追求する従来の研究方法を止揚し、解釈・認識・構成主義などの概念を重視する社会構成主義を政策科学に取り入れた新しい政策設計理論である（Ingram et al. 2007）。イングラムとシュナイダーは、社会的構成モデルを通して政策決定における多様な社会的文脈の考慮とともに、社会科学研究におけるルールや規範、アイディアの役割などの重要性を浮上させることで、社会科学研究に新たな境地を切り開いたと評価されている。

問題解決の道筋を示す方向性――政策対象集団の受容性確保

社会的構成モデルは、政策対象集団を一つの固定した実体として捉えず、政策対象集団の権力的属性と政策イメージによって変化する可能性があることを示した。また、政府が現実の政策の執行において、政策対象集団をどのように認識するのか、将来の政策対象集団に対してどのようなアプローチを取るのかについて予測を可能にした。

政策とは、社会問題を解決するにあたり、政策対象集団の形態を変化させて解決しようとする。したがって、政策の成功と失敗は、政策の受容性をどのように確保するのかという問題と直結している。すなわち、政策対象集団が特定政策に対してどのように反応するのかに政策の成功と失敗がかかっていると言っても過言ではないからである。

イングラムとシュナイダーは、政策対象集団の特性と行動に対する理解を促進することで政策科学理論モデルの発展に大きく寄与した。これは、経験的、計量的単純化を追求する従来の研究方法を止揚し、解釈と認識、構成主義などの概念を重視する社会構成主義を政策科学に取り入れることで、政策設計および政策理論モデルをさらに一段階発展させた学術的業績として評価される。

従来の定量的アプローチに加えて、政策問題や政策過程を構成的に見る相互補完的研究を可能にし、究極的にラスウェルが強調した人間の尊厳性の実現のための政策科学に一歩近づく道を切り開いたのである。

◉小休止：イングラムとシュナイダーの生涯

ヘレン・イングラムは、環境学者であり、政策科学者で環境資源管理、公共政策、民主主義と公共参加、社会運動に及ぼす影響など環境と政策全般にわたる幅広いテーマを研究している。彼女はコロンビア大学で行政法で博士号を取得し、現在UCアーバインキャンパス（University of California at Irvine）の都市計画・公共政策科学科の名誉教授である。彼女の代表的な著書として『民主主義のための政策科学』（1993）がある。

アン・シュナイダー（Anne L. Schneider）はインディアナ大学で政策科学博士号を取得し、アリゾナ州立大学で公共政策大学院長を歴任した。現在アリゾナ州立大学（University of California at Irvine）で国際政治学の名誉教授である。彼女の長年の研究テーマは民主主義における政策の役割に関する研究と教育に関するものであった。政策経験と政治的要求との関係など政策科学全般について多くの研究を行い、最近では人々の持つ『政策経験』の種類に関する研究と、このような政策に関する直接的な経験が彼らの政治的声にどのように影響を及ぼすのかについて研究している。

ヘレン・M・イングラム&アン・ラランソン・シュナイダーの共同研究には『民主主義のための政策設計』(1997)、『社会的構成モデルと政策科学』(2005)などがある。特に後者の著述が社会的構成モデルを提示した卓越した業績と評価されている。

ラスウェル政策科学の真の継承者――ピーター・ドレオン(Peter Deleon)

問題関心――ラスウェルの〔人間の〕尊厳性の価値を重視する政策科学研究はどのように進められるのか

ピーター・ドレオン(Peter Deleon)の生きた当時のアメリカの状況は、第二次世界大戦後、ソ連との冷戦、朝鮮戦争、市民権運動、宇宙探検、ベトナム戦争介入および撤収などの世界的な政治的事件がつらなっていた。また一九七三年アラブ石油輸出国機構OAPECと石油輸出国機構OPECが原油の価格を引き上げ、生産を制限するオイルショックによってスタグフレーションという世界景気後退も進行していた。このように、アメリカは、政治的、経済的、社会的に多くの問題に直面していた。ドレオンはいかにすれば人間の尊厳を増進させる社会を作ることができるかについて思考をめぐらせるようになった。

ドレオンの師(Mentor)はラスウェルである。実際に、ラスウェルの下で学んだことはないが、人間の尊厳と民主主義の政策科学というラスウェルの政策科学理念に魅了されていた。ドレオンはラズウェルの理念を勉強したことで、新しい悩みを抱えた。それは、一九五一年に政策科学が提唱されて以来、政策科学という学問は外形的には大きく成長したが、果たしてその内実においてもラスウェルが唱えた公共的価値に応える真の発展があったのかについての悩みであった。ハーバード・ケネディ政策大学院など、アメリカでは多くの大学で政策科学スクールが設置され、多くの学者が政策科学を研究して新しい理論を作るなど、外形的な成長を遂げていたが、果たしてそれが政策科学の創始者たちが掲げた公共価値、すなわち人間の尊厳性の向上と民主主義の実現という価値にどれだけ合致する政策研究だったのかという根本的な悩みを持つようになった。

ドレオンの学術的な悩みは次のようなものだった。

ラスウェルの政策科学に対する価値と愛情、つまり人間の尊厳と民主主義のための政策科学の伝統に従いながら、これを忠実に反映する政策研究をどのように進め、発展させるのか。

解決策——デモクラシーの政策科学の再建

ドレオンは一九八九年『助言と同意——政策科学の展開（Advice and Consent: The Development of the Policy Sciences）』を著した。この本では法律、政治学、経済学、社会学および心理学の各分野の学問が政策科学とどのように融合できるかという問題を分析し、政策科学の学際的志向性を実証的に示した。

また、二〇〇六年に作成した論文“The Policy Science: Past, Present, and Future”の中で、ドレオンは政策分析の有用性を高める方法を示した。政策科学の分岐点となったアメリカの政策〔決定者を取り巻く〕環境の焦点となった五つの出来事として、(1)第二次世界大戦、(2)リンドン・ジョンソン大統領の「貧困との戦争」、(3)アメリカのベトナム戦争介入、(4)「ウォーターゲート事件」およびニクソン大統領弾劾、(5)そして一九七〇年のエネルギー危機、を分析した。そして、それに伴う政治的状況から得られる教訓(Lessons Learned)を通じて政策科学が内実のある成長を遂げなければならないと主張した。

ドレオンは政策科学の有用性を高めるために三つの提案を行った。最近の政策科学のアプローチ(Approach)の実態を把握すべきであり、政策科学が目指すべき目標(goal)を紹介すべきであり、政策科学の目標を達成するための手段(instrument)を模索すべきである、としている。また、この三つの原理の一貫した目標は「民主主義の政策科学」を再建し、発展させることであるという。

政策過程への市民参加を活性化させるのが解決策である。過度な市民参加は非効率性を増大させるという短所があるが、それにもかかわらず、彼は市民の政策参加を通じて閉鎖的なテクノクラティックな官僚制(Technocratic Bureaucracy)の誤ちと政策失敗を乗り越えなければならない、と主張した。

また、ドレオンは実際の政治的状況から得られる教訓を通じて問題点を浮彫りにし、これを解決する創造的政策解決策を強調した。このようなジレンマの問題解決方法は、〔ラスウェルが教えたように〕文脈指向性とともに、法学、政治学、経済学の知恵を融合する学際的アプローチ(Interdisciplinary approach)である。

さらに、政策過程に多くの政策行為者と利害関係者の参加を通じたヒューマンネットワーク作用に多くの関心を持ち、ヒューマニズムを目指す一方、参加的政策分析(Participatory Policy Analysis)の重要性を強調した。

問題解決の道筋を示す方向性――人間の尊厳性を強調するラスウェル・パラダイムの再照明

デンバー大学のポール・テスケ(Paul Teske)教授が「ドレオン教授が影響を及ぼしていない政策分野を探すの

は難しい」と言うほど、ドレオンは様々な分野を渉猟した政策科学の巨匠である。無論、政策科学分野の専門家たちは多く、多様であるが、ドレオンが長い間注目を集め、名声を維持することができた理由は、彼がラスウェルの精神の真の継承者としてラスウェルが提唱した「人間の尊厳性」という価値に執着したからである。

ドレオンは、政策科学が閉鎖的なテクノクラティックな官僚制的ミスに埋もれる政策失敗を避けるため、政策科学が人間の尊厳性を高める方法として次の三つの観点を提示した。

第一、行動論に埋没した政策科学パラダイムを再び正さなければならない。

第二、政策過程の民主的な手続きをより一層整備しなければならない。

第三、人間の尊厳性及びデモクラシーの政策科学を完成させることができる政策問題定義と政策設計に対してより一層集中しなければならない。

同時にこのような三つの原理とともに考慮されなければならない実践的課題も提示した。

第一、政策問題の公共的価値性を確認しなければならないし、達成可能な政策目標を設定しなければならない。

第二、政策研究の認識の地平を拡大するためにより広い境界（Broad Outlines）を受け容れなければならない。

第三、政策研究の文脈志向性と学際性を向上させなければならない。

ドレオンは、政策科学の創始者らが唱えたデモクラシーの政策科学という公的価値について政策科学がさらに集中しなければならないと強調し、何よりも人間の尊厳性の追求という政策科学の哲学的本質を守っていくことが重要だという点を主張した。

政策科学の大家ピーター・ドレオンの問題関心と解決策は、政策科学がテクノクラティックな官僚制的誤りや部分の極大化の失敗から脱し、政策科学本来のパラダイムを再び取り戻すべきだという叫びに聞こえる。また、政策科学の研究が手段的価値や計量分析だけに埋没せず、より根本的な人間の尊厳性や民主主義の完成に向けて努力しなければならないという苦言のようにも受けとられ、政策科学徒が深く心に刻むべき教訓であると思われる。

◉小休止：ドレオンの生涯

ピーター・ドレオンは、現在、デンバー大学（University of Denver）の名誉教授である。彼はラスウェルの政策科学のパラダイムを継承した政策理論家であり、国家安全保障とエネルギー問題に造詣が深い政策研究者である。ドレオンは優れた研究実績を残した学者として、七回も学術賞を受賞した。その中でも特に注目すべきは、二〇〇〇年八月にアメリカ政策研究機構（Policy Studies Organization）が授与する最も権威のある学術賞、Harold D. Lasswell 賞を受賞したという点である。受賞の理由は、彼が真のラスウェル精神を継承した学者であり、これに基づいて政策科学の実体と過程について卓越した研究を行った学者として認められたことである。デンバー大学のポール・テスケ（Paul Teske）教授は「ドレオンが影響を及ぼしていない政策科学の下位分野は見つけにくい」と言うほど、ドレオンは政策科学分野の巨匠に挙げられている。

その他にもドレオンは、二〇〇一―二〇〇二年度に優秀なボランティア賞を、二〇〇二―二〇〇三年度には優秀な教授賞を受賞した。二〇一一年、デンバー大学は大学の教授陣にとって最高の名誉である卓越した教授(Distinguished Professor)として彼を指名した。

何よりもドレオンは誰よりも学生達を愛する師匠であった。コロンビア大学(Columbia University)、UCロサンゼルスキャンパス(University of California at Los Angeles)およびデンバー大学(University of Denver)で多くの学生を教えている。彼は学生たちを教えながら、「どうすれば学生たちは政策科学的問題の複雑さを理解できるだろうか」と悩んだという。彼はあるインタビューで「学生たちが以前考えたことのない新しい概念を紹介してくれるので、学生たちと一緒に仕事をするのが特に楽しい」と話すほど、学生たちとのコミュニケーションをさかんに行っている。彼はすでに政策科学の本質とともに政策問題の複雑性と問題点を認識しており、このような政策問題の複雑性を自らの弟子たちにも理解させ研究させることを望んでいる。このことは、講義と研究で人間の尊厳性を強調することに劣らず、実際の生活でも温かい心を実践するドレオン教授の姿をよく表していると言える。

ニュー・ガバナンスの巨匠——ガイ・ピーターズ(B. Guy Peters)

問題関心——政府の役目は何か。

ガイ・ピーターズはガバナンス理論の代表的な学者として、全世界で参加型行政改革の伝道師として知られている。ピーターズは現在まで政策に関する講演をするなど活発に活動し、グローバル・ガバナンスの権威者としての地位を確立している。彼は一九七〇年代から公共部門の改革を推進してきた世界各国の行政失敗の事例を観察し、これに対する解決策として「ニュー・ガバナンス」を提示した。

ピーターズはフィンランドを経てスウェーデンで研究をしていた時期に、北欧三カ国の「福祉国家の危機」を直接体感した。また、英・米諸国を中心に導入された「新公共管理論」が意図したものとは異なり、強力な政府を誕生させ、市民を一つの恩恵を受ける客体に転落させるなど、民主的価値との衝突を目の当たりにした。

結局、政府の財政危機と伝統的な政府管理の限界点、そして新公共管理論の登場は、ピーターズが新しい政府に対して思考をめぐらせることになった。彼は、それまで、〔西欧諸国において〕政府主導で行われた行き過ぎた福祉制度の弊害、伝統的な政府管理の問題点、そして行き過ぎた市場主義の失敗を観察し、伝統的な政府管理方式の転換の必要性を悟るようになった。

解決策――ニュー・ガバナンスの導入

ガイ・ピーターズは、従来の伝統的な政府管理方式の問題点を認識し、その解決策としてニュー・ガバナンスと新しい政府モデルを提示した。彼は「ガバナンスとは、戦略的な舵取り（Steering）である」と定義し、国家の運営を一つの方向と目標に向かって様々な行為者を調整し、導くことである、と認識した。

ピーターズは彼の著書『未来の国政管理――四つのモデル（The Future of Governing: Four Emerging Models）』において、ガバナンス・モデルを市場的政府モデル（Market Model）、参加的政府モデル（Participatory Model）、柔軟対応的政府モデル（Flexibility Model）、脱規制的政府モデル（Deregulation Model）という四つの類型に区分した。

最初のモデルは「市場的政府モデル」である。これは市場の効率性に対する信頼と、官僚の独占がもたらす非効率性を取り除くために競争の導入を追求することを基本理念とするモデルである。公共部門においても民間領域での経営手法を適用するなど、経済学あるいは経営学的なモデルである。この例として、行政組織の分権化および権限委任、責任運営機関の導入、成果給と成果管理などのインセンティブ強調などがある。

二番目のモデルは「参加的政府モデル」である。これは参加を通じて政府革新と権限委任、一線官僚制を重視するモデルで、市場的政府モデルとは反対の政治学的モデルと見ることができる。参加的政府モデルは組織内の上位階層よりは下位階層と顧客により多くの関心を持ち、下位職公務員の政策決定への接近性を高めるための水平的意思決定構造を取る。これによって分権的な意思決定が行われ、一線官僚の裁量と参加によって政策が形成される。

三番目のモデルは伝統的行政モデルの永続性が革新を阻害することを克服するために創案された「柔軟対応的政府モデル」である。柔軟対応的政府モデルでは公共部門における競争意識を強調し、組織の形態は発生した問題に即時に対応し、問題が解決した後は解散する方式をいう。例としては委員会、臨時組織（Task Force）、仮想組織などがある。

四番目のモデルは「脱規制的政府モデル」である。これは官僚に自律性を与え、管理の革新を図るモデルであり、構造的問題よりも管理の問題をより重要に考える。脱規制的な政府モデルは、政府内部の規制を取り除くことで、公共部門の潜在力と独創性を引き出すことに焦点を定めている。管理において自律権と裁量権を付与することで不必要な繁文縟礼（Red Tape）を取り除き、官僚の自発的な調整を通じて政策が形成される長所を持っている。

一方、ピーターズは、その後の著述でありピエール（J. Pierre）博士と共に著した『複雑な現代社会の国政管理（Governing Complex Societies）』（2005）で初期モデルをもう少し具体化させて、五つの国政管理モデルを提示している（權祈憲『行政学コンサート』、博英社、二〇一四年、一四四―一四五頁）。

第一に、国家統制モデルは政府がすべてのガバナンス面で最も重要な行為者であり、社会的行為者に対する

図表2　ガバナンスの類型

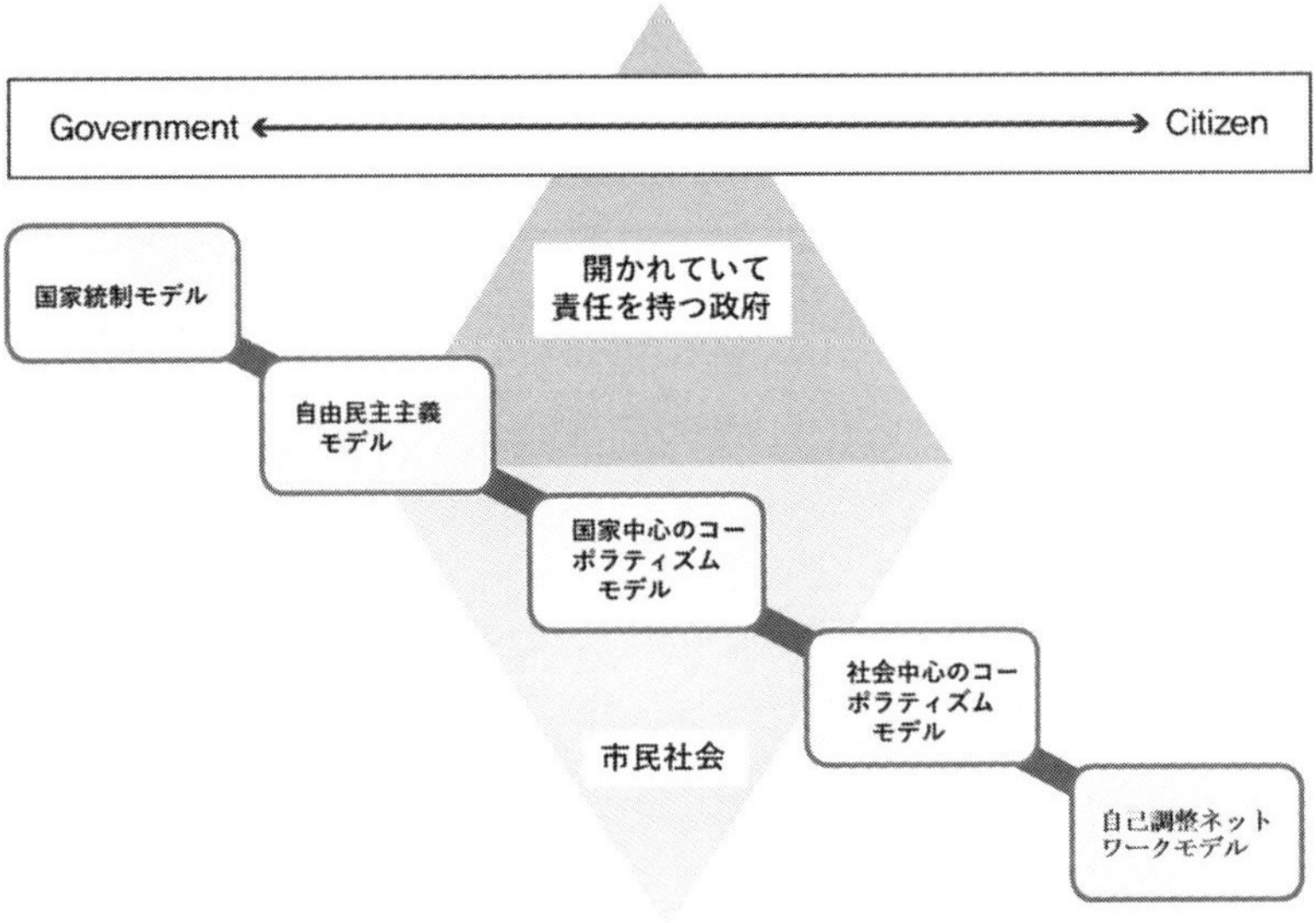

強力な支配権を持つモデルである。

第二に、自由民主主義のモデルは多様な形態の社会行為者が国家に影響を及ぼすために競争するが、これらの中で最終的に選択できる政策的権利は国家にあるモデルである。

第三に、国家中心コーポラティズム・モデルは、国家が政治過程の中心にあるが、社会的行為者との結びつきが制度化され、国家‐社会の相互作用が強調されるモデルである。

第四に、社会中心コーポラティズムのモデルは、国政運営において多数の社会的行為者に大きく依存する形である。ここで社会はより強力な行為者になるが、社会的ネットワークは国家の権力から免れる自己組織化能力が与えられると見る。

第五に、自己調整ネットワークモデルは純粋社会中心型ガバナンス・モデル。個別行為者が自分の利益のための自己調整ガバナンスを創造する形である。これはネットワーク・ガバナンスあるいはニュー・ガバナンスとも呼ぶ。

問題解決の道筋を示す方向性――参加的政府革新の重要性

ピーターズは国政運営において強力な統制を強調した伝統的な政府管理方式から、戦略的な舵取り方式への転換のために、ニュー・ガバナンス理論を示した。彼は一九七〇年代末から現在まで、世界各国の政府が公共部門の改革を主として進めてきた過程において、「問題を解決する調整機能（Steering）を備えたメカニズム」を強調してニュー・ガバナンスの導入を主張して、国政管理モデルの新しい準拠枠組みを提示したのである。

ピーターズは政府と市民の間の相互作用と参加が重要であると強調し、その中でも参加のための制度的装置とともに市民参加に対する熟議（Deliberation）が重要であると考えた。

彼が主張した参加的行政のためには、これを支える制度が必要であり、代表的なものとしてスカンジナビアと北米国家で広範囲に活用されている団体的多元主義（Corporate Pluralism）、公聴会（Open Hearing）、統治のネットワークモデル（Network Models of Governing）、顧客による管理（Client Management）をあげ、それらの導入過程を政策科学的に解釈する努力が必要であると主張した。

このような観点から、我々はピーターズが示した解決策を活用し、新しい政府の役割と正しい志向点を見出す努力が必要と考えられる。我々が暮らしている現代社会は超連結性、超知識社会へと変化しており、その変動の幅を予測するのは難しいのが現状である。

また、韓国社会は複雑化し、利益集団の利益追求が衝突する時代へと変化している。このように、未来に対する予測が困難な状況下で、また「手に負えない危険極まりない問題（Wicked Problem）」、「複合的問題（Complex Problem）」が頻繁に発生する現代の政策問題を解決していくためには、参加、熟議、合意を通じて集団知性を発見していく過程が何より重要である。

このような点からも、ガイ・ピーターズ（そしてヨン・ピエール）が示した参加的な政府革新とネットワークに基づく水平的関係性を志向するニュー・ガバナンス的な問題解決方式は非常に意義が大きいといえる。

◉小休止：ガイ・ピーターズの生涯

ガイ・ピーターズは比較政策を研究する政策科学及び行政学者である。彼は現在、アメリカのピッツバーグ大学政治学科の教授であり、ドイツのツェッペリン大学ガバナンス学の教授でもある。主要著書としては、『官僚政治論』、『行政革命期の官僚および政治家』、『ガバニングの未来』、『比較政治論』、『EUの政策調整』、『政治学の制度論』などがある。

彼は一九六六年にリッチモンド大学で学士号を取得し、ミシガン州立大学で修士号（一九六七年）と博士号（一九七〇年）を取得した。その後、フィンランドで一年間、スウェーデンで一年間の研究経験を積み、ノルウェー、フィンランド、スウェーデンのバルト海三国の「福祉国家の危機」を実際に体感することになる。このような状況下で、一九九〇年代後半、政府が強力な統制を行う方式は方向設定者の役割へと変えるべきであり、社会問題に様々な行為者が含まれるべきであるというニュー・ガバナンス・パラダイムの研究が集中的に行われた。ピーターズは一九九〇年代後半、ニュー・ガバナンスが成功する条件と変化の可能性を研究した。彼は『未来の国政管理――四つのモデル（The Future of Governing: Four Emerging Models）』を通じて未来の政府について四つのモデルを提示した。

また、ガイ・ピーターズはヨン・ピエール（Jon, Pierre）博士とともに、二〇〇五年には『複雑な現代社会の国政管理（Governing Complex Societies）』を著し、ここでは初期モデルをもう少し具体化して五つの国政管理モデルを示した。

ガイ・ピーターズは、新公共管理論を超えてニュー・ガバナンス理論を確立すると同時に、参加型政府革新論の構築に画期的な貢献をした学者として評価されている。

PART Ⅲ　政策科学と未来予測——未来予想との出会い

未来学の創始者——ジム・デイター（Jim Dator）

問題関心——未来学とはどんな学問であり、なぜ未来学に関心を持たなければならないのか

未来学のゴッドファーザーと言われているジム・デイターは一九六七年、アルビン・トフラーと未来協会を設立し、未来学という学問分野を初めて開拓した先駆者である。彼は「情報化社会以降、「ドリーム・ソサエティー（Dream Society・夢の社会）」という津波が押し寄せてくる」と断言し、未来学を導く新しいトレンドを示している。

ジム・デイターによれば、未来学の胎動は人類の歴史と係わっている。

長い間、狩猟や採集に依存してきた人類は、約一万年前に定着し始め、私有財産の概念を導入するようになり、その後の産業社会を経て、今の情報化社会に変貌するようになった。このような社会変動の過程で勃発した数多くの戦争、とりわけ第二次世界大戦が終わった直後、欧米人は核戦争を通じて文明そのものが崩壊するかもしれないという危機感を感じるようになった。

これに対して、ジム・デイターは、西欧文明が理性的で合理的であるなら、世界大戦とユダヤ人虐殺などが起り得なかっただろうとし、このような批判意識が未来学の土壌になり、一九六〇年代末、世界未来学会（ＷＦＳＦ）の出発点になった、と述べた。

ジム・デイターは、未来学を創設する際、私たちが未来学に関心を持たなければならない理由として、危険な三位一体（Unholy Trinity）を提示した。それは、安くて豊かなエネルギー時代の終焉と、環境汚染、生態系破壊、世界人口の高齢化と地域別人口増減の不均衡であるという。それに分配の正義に基づいた持続可能な経済のない未来、統治能力を失った政府が加わる。

さらに、人類が直面した危険な三位一体のような危険要素のほかにも、数十年以内に科学技術の発展の速度が人類の制御が困難なほど幾何級数的に急速に早まる可能性、いわゆるシンギュラリティー（Singularity）に注意しなければならないと言う。すなわち、危険要因が十分に議論されなければ、到来する情報社会、そして未来社会を危うくするだけでなく、もしかすると人類社会を農業社会に回帰させるかもしれないと警告する。

これに対してジム・デイターは、次の質問を投げかける。

第一、果たして未来学とはどんな学問であり、私たちがなぜ未来学に対して関心を持たねばならないのか。
第二、未来学は私たちの実生活とどのように結びつき、どのような助けが受けられるのか。
第三、未来学とは何であり、未来学者の使命は何か。
第四、未来学はその他の学問及び実生活とはどのような関係にあるか。

ジム・デイターの上記のような問題関心をもとに、彼の慧眼と洞察を見ることによって、望ましい未来社会に進むために志向すべき政策科学的価値との共通分母が何かを見る必要がある。

解決策――未来学の本質、創造性に注目せよ

ジム・デイターは未来学を説明するのに先立って、未来イメージを大きく、持続、崩壊、統制、変形に分類している。

第一に、未来に対するイメージの中で、私たちに最もなじみ深い形態は持続的成長（Continued Growth）である。これは過去と現在において進行している傾向が今後も続くという態度を意味する。

第二に、崩壊（Collapse）は戦争または大混乱によって既存のシステムが崩壊するという予測である。例えば、金融危機後に資本主義体制が続かないという不安も、悲観的な未来予測である崩壊のイメージと関連がある。

第三に、統制（Disciplined）は、様々な制約条件によって文明が漸進的な衰退過程を経て画一化されて行く、抑圧的な社会システムの到来を意味する。

第四に、変形（Transformation）は現在では想像しがたい全く新しい形態に変わる未来のイメージである。SF小説に出てきそうな宇宙旅行が大衆化し、遺伝工学によって、人類が新しい種に変わるなどの例が挙げられる。

上の未来イメージをもとにジム・デイターが投げかけた未来学の本質は、正確な未来の予測ではなく、多様に展開される可能性を考慮して複数の未来を構想したものである。これに加え、それぞれの可能性に対する望ましい戦

略を樹立することをいう。これに対して、彼は「Future」の代わりに「Futures」という複数を使用する。これはジム・デイターが考える未来学とは、一つの未来だけを考えているのではなく、複数の場面を持った将来の潜在的な可能性を、真の未来として考えることを意味する。すなわち、可能な限り様々な未来を調査し、その中で最も望ましい未来（Desirable Future）を見つけ、望む方向（Preferred Future）として設計していくべきだと主張する。

ジム・デイターは未来を構成する三つの要素として、持続性（Continuity）、循環性（Circularity）、新しさ（Novelty）を挙げている。かつては持続性が八〇％、循環性が一五％、新しさが五％に過ぎないほど変化が少ない社会だったが、これからの世界で未来を導く力は持続性が五％、循環性が一五％、新しさが八〇％に達すると言う。

つまり、未来は新しさに満ちているので、予測できず、未来学は予測ではなく創造だという。また、未来学は単に「未来」を研究する学問ではない。未来は実証的研究の対象の形で存在していないからである。

このように未来は必然的ではなく、自分の意志に関係なく従わなければならない無気力な時空間でもない。未来は、現在の社会問題を解決できる選択肢にもなり、また日常生活における闘争と希望を反映しているのである。すなわち、いまだ起きていない未来の出来事を予測するのではなく、過去と現在の分析を通じて「多様な未来の姿を想像すること、そして自分に合った未来を作るためのもの（Futures study is to create the future, not to forecast it）」が未来学なのである。

このような未来学の実現は多様な選択肢を持つ未来像を想像して開発することから始まる。またお互いに他のものを組み合わせる際に登場し得る予想できない創意性にも注目して、新しいことを創造する知の統合（Consilience）が要求される。また、望ましい未来を導出するためにどのような力が世の中を変えるかに対し、絶え間ない関心と研究が必要である。

問題解決の道筋を示す方向性――未来予測と政策力量の強化

過去二〇年間、少数の未来学者は産業社会と情報社会は異なる姿に変化していると解釈した。その代表的なものを挙げるなら、アーネスト・スターンバーグ（Ernest Sternberg）は、未来社会をアイコン経済（Icon Economy）と、ロルフ・イェンセン（Rolf Jensen）は、ドリーム・ソサエティー（Dream Society）と、ジョセフ・パイン（Joseph Pine）とジェームズ・ギルモア（James Gilmore）は、経験経済（Experience Economy）、あるいは概念的社会（Conceptual Society）である、と称した。それはすべて同じ現象を別の言葉で言い表わしたものだが、これにジム・デイターは、未来社会に対する定義を「未来学に基づいた「アイコン（Icon）」と「審美的経験（Aesthetic Experience）」からなるドリーム・ソサエティー」である、と捉えた。

このように、多くの学者が未来社会を眺める観点は多様である。ジム・デイターは特に、自動化、人工知能、ロボットなどの出現が人間の労働を完全に代替するという点と、イメージとアイコンが価値を生み出す新しい社会に突入しているという点に注目している。

これに加えて、技術に耽溺した人間が歴史上初めて不確実な状態に置かれることになったこと、また発展する技術が人間の尊厳にどのように影響を及ぼすのか、これから人類の行動をどのように変えていくのかに対する深い関心と省察が必要であると主張した。

このような観点から、ジム・デイターは、未来の核心となる技術とは人類が仕事をする際に示すやり方のすべてである、と定義する。特に「人間」を強調して「何を（What）」だけでなく、「どのように（How）」に焦点を置いているのである。彼によると、来たるべき未来の技術は、価値中立的でもなく、コントロールできないものでもない。むしろ人類は技術を通じて互いにコミュニケーションし合い、自らをより人間らしくし、さらには自らのアイデンティティーを絶えず問い直して、変わっていかなければならないのである。

特に、未来の政府はヒューマニズムに基づき、行き過ぎた人工知能への依存を警戒し、その速度を調節しなければならず、その統制権を自ら持つべきだと考える。また、未来を見据えて未来の技術を変化させる要因が何であるのかを洞察できる能力を培わなければならない、と主張する。

未来学とともに未来予測学を研究したジム・デイターは、未来を予測する方法において量的方法論の限界に注目している。彼は未来学を勉強し、研究し、教えれば教えるほど、大部分の量的方法論がそれほど役に立たないだけでなく、過度に事実を誤導する傾向があると主張する。実際、私たちが暮らしている世界は不確実で予測不可能なのに、数字で表現される量的方法論は〔われわれを恰も〕揺るぎない正確な世界に住んでいるかのように錯覚させているのである。このような点を踏まえて、量的方法論と質的方法論を適切に統合して使用する必要があると主張した。また、予想外のイシューの登場にも注目すべきだという。このようなことを根拠にジム・デイターは、すべての政府組織に代案となりうる未来予測と望ましい未来予測という未来予測の機能を与え、未来予測の力量を強化しなければならないと主張した。

◉小休止：ジム・デイターの生涯

ハワイ大学未来戦略センター所長を務めるジム・デイター教授は、過去四〇年間ハワイ大学とバージニアテック（Virginia Polytechnic Institute and State University of Virginia Tech）で未来学を教えてきた「第一世代未来学者」である。

ジム・デイターは一九三三年生まれで、彼が生まれた当時、アメリカは大恐慌の真っ只中にあった。彼が九歳の時、父親が死亡し、これによりジム・デイターの母親は実家に頼って貧しい生活を送った。彼はこのような厳しい環境の中で大人となり、自ら一人の力で苦しい人生を生きて来なくてはならなかったと自分のことを語り、このような背景で生きて来たからこそ未来にもっと関心を持つようになったと述べている。

また、ジム・デイターは幼い頃から巨大談論と倫理問題に興味を持っていた。彼が未来学を研究するようになった決定的なきっかけは、彼が一九六〇年代、日本で六年間教授職に就くようになってからである。日本がアメリカのすべてをまねて発展していくのを見たし、これによってアメリカがすなわち日本の未来であるという点を悟るようになり、これを研究して本格的な未来学者への道を進んだのである。

複合的で不確実な超現代社会で、過去と未来の間、その中に立っている私たちにとってジム・デイターは、自分の未来は消えても共同体の未来は続くだろうし、その未来は楽観的だろうという。私たちが生きていく今は不安に満ちているように見えるが、その不安をどのように解釈し、どのような未来を想像するかによって、それは期待に変わることができるという彼の主張は、今まさに私たちが肝に銘じるべき部分と思われる。

人類には、これから押し寄せる津波のような第四次産業革命の未来に洞察力を持って対応し、未来を切り開いていく勇気と創意力が必要である。予測の限界を超える世の中に生きている私たちは、これから何が起こるか分からないからである。

シンギュラリティーが近づく――レイ・カーツワイル（Ray Kurzweil）

問題関心――不確実な限界を飛び越える

レイ・カーツワイルが生まれた一九四八年は、アメリカが「豊かな社会（Affluent Society）」と呼ばれるほど当時においては歴史上最も裕福な国であった。外見的な経済指標としては裕福だったが、内政では黒人差別待遇に反対する黒人の公民権運動の「モンゴメリー・バス・ボイコット」が行われるなど不安な社会であった。その後、キューバ・ミサイル危機が発生し、全世界は第三次世界大戦勃発の危機と不安の中で過ごした。また、レイ・カーツワイルの父と母はナチスの迫害を避けてアメリカに来たユダヤ人であった。このような雰囲気の中で育ったレイ・カーツワイルは、このような不確実な状況の中で、遠い未来に対して想像をめぐらすことを楽しんだようである。

レイ・カーツワイルは、音楽家の父親とビジュアル・アーティストだった母親の下で育ち、芸術的な感覚が優れていた。そして、彼はコンピューター関連分野でも優れた才能を見せた。一七歳の時には音楽とコンピューターを組み合わせて作曲し、テレビ・ショー「I've Got a Secret」に出演した。国際科学博覧会（International Science Fair）とウェスティングハウス科学コンテスト（Intel Science Talent Search）で賞を受賞した。そして当時、大統領のリンドン・ジョンソンに会って激励を受けた。

将来を嘱望される発明家として生きてきたレイ・カーツワイルは、高校生の時、彼の人生を変える師に出会った。師はマービン・ミンスキー（Marvin Minsky）教授である。マービン・ミンスキー教授は人工知能の分野を開拓した科学者で、マサチューセッツ工科大学（Massachusetts Institute of Technology: MIT）の人工知能研究所の共同設立者である。レイ・カーツワイルは、マービン・ミンスキン教授の教えを受けるため、ＭＩＴに入学した。そして人工知能に関する知識を積み重ねていった。

レイ・カーツワイルは人工知能に関する知識を積み重ねながら、最初は他の人たちと同様に現代科学技術の発展に驚きと不安を感じた。しかし、幼い頃から機械と一緒に音楽を作って歌った経験のためか、彼は不安感よりは新しいことを発見する喜びを感じた。そして不確実だが、現代の科学技術が人間と融合するであろうと予測した。彼はこのような悟りを大衆にどう伝えるか悩んだ。つまり、現代の科学技術は恐ろしいものではなく、一緒に融合して共に生きる対象だということを伝えようとしたのであった。

解決策――不確実な未来の予測を通じて限界を飛び越える（シンギュラリティーが来る）

レイ・カーツワイルは、まず現代科学技術を通じて視覚障害者や難読症を病んでいる人々を助けなければならないと考えた。そこで彼は、レイ・カーツワイル・コンピューター製作株式会社（Kurzweil Computer Products Inc）を設立し、文章を音声で読み上げる視覚障害者向けの文書変換機、レイ・カーツワイル・リーディング・マシン（Kurzweil Reading Machine）を作った。また、レイ・カーツワイル教育システム（Kurzweil Educational Systems）を設立し、盲人、難読症、ＡＤＨＤ（注意欠如・多動症）などの障害を持つ学生を助ける技術を開発した。また、患者の診療を支援する医療補助プログラムを作成し、無料で配布した。

その後、彼は人工知能会社を作ろうとした。会社を作るため、投資家らと会っている折、グーグルの共同創業者であるラリー・ペイジに会った。ラリー・ペイジはグーグルにすべての資源があるから入社するよう勧め、レイ・カーツワイルは二〇一二年に「マシン・ラーニングと言語処理プロジェクト」を進める責任者として入社した。グーグルは日進月歩、恐ろしい速度で成長した。大衆の好みと心を先に読み取り、爆発させる先端技術製品が世界的なヒットを記録するようになると、ライバル企業から「宇宙人を拉致して技術を抜き取ったのではないか」という話が出るほど、確固たる地位を築いたのである。

レイ・カーツワイルはシンギュラリティー主義者と呼ばれる。シンギュラリティー主義者（singularitarians）とは、人工知能が人間の知能を超える瞬間（シンギュラリティー）がまもなく到来し、これが人類に途方もない機会を提供すると信じる人々を言う。代表的なシンギュラリティー主義者にレイ・カーツワイル、孫正義ソフトバンク会長などがいる。

著書『シンギュラリティーが来る（The Singularity Is Near）』（2005）で、彼は「最初の超知能機械が人が作る最後の発明品になる」と述べ、技術は幾何級数的に発展するという「収穫加速の法則（The Law of Accelerating Returns）」を主張した。『シンギュラリティーが来る』で言う二つの核心的な要素を挙げると、

（1）人間の発展は線形的ではなく幾何級数的である。
（2）幾何級数的増大が最初の予測を超える属性を持つ。

このように人間の発展は線形的ではなく幾何級数的である。現在、私たちが活用している技術の展開から推測されるのは、始点は人類の歴史の終わりになるということになる。最近注目されているビッグデータ（Big Data）も幾何級数的である。技術の発展は普通、目に見えないように増大し、ある時点（threshold、境界点）から爆発的に増加し、完全に異なる形の変化をもたらす。このような構造になってしまうなら、過去というものは大きな意味を持たないであろう。変化を認識する時が来れば、すでに新しい変化が始まっているからである。

レイ・カーツワイルはシンギュラリティーを「人間の思考能力を予想するのには困難なほどに劇的に発達したものに具現され、人間を超越した瞬間」と述べ、二〇四五年になると人工知能がすべての人間の知能を合わせたものよりもっと強力になると予測しながら、人工知能に対する懸念を示したりもした。つまり、二〇四五年になると、人工知能が作り出した研究結果を人間が理解できなくなり、これは人間が人工知能を統制できない地点が来ることもあり得るが、その地点がまさにシンギュラリティーであるという。

結局、レイ・カーツワイルの主張は人工知能が人間の知能を乗り越えるということである。しかし、彼の主張は、我々が人工知能より劣っているために人生を諦めよう、というのではない。むしろ人工知能の助けを借りて、人間の発展可能性を幾何級数的に増大させるなど、人類の暮らしを、そして新しい洞察力を発展させようというものである。

問題解決の道筋を示す方向性——特異点と政策科学の共通の目標

もし、レイ・カーツワイルが提示したシンギュラリティーが本当に到来したらどうなるか。「人間の思考能力では予想できないほど画期的な人工知能が実現され、人間を超越する瞬間」が来たとしたら、その時の政府は何をしているのだろうか。そして、その時、政策科学が言う人間の尊厳とはどのような意味を持つのだろうか。

我々はレイ・カーツワイルが提示した未来像をもう一度考え直さなければならない。不都合な真実になるかも知れないが、レイ・カーツワイルも驚くべき未来を提示しながらも、自分は楽観的だと主張する。人工知能の助けを受けた人間は既存の感情より数倍も深い感情と知能を使ってもっと魅力的な人になるだろうというのである。

人間と人工知能が協業してできる技術発展の肯定的な側面の実例を示すことで、人々の不安を減らすことはできないだろうか。また、無くなる職業、新しい職業に対する備えも必要だろう。政府は未来予測機能と力量をさらに強化しなければならないであろう。未来予測に基づいた新しい職業訓練の機会ももっと多く提供しなければならないだろう。

レイ・カーツワイルは技術発展について「多くの人が技術発展の弊害について口にするが、これは否定的なニュースだけに集中するためである、もし技術が発展していなかったら共同体の単位は部族（tribe）にとどまったであろう」と述べた。

それがまさに人間の本性である。人間は限界を超えしようとして、我々はいつもそうしてきたのである（That's the nature of being human, we transcend our limitations）。

レイ・カーツワイル

◉小休止：レイ・カーツワイルの生涯

レイ・カーツワイルはオーストリア出身の音楽家のユダヤ人の父親とビジュアル・アーティストのユダヤ人の母親の下で生まれた。一七歳の時からパソコンを使って作曲し、テレビ・ショーに出演したりもした。国際科学博覧会（International Science Fair）とウェスティングハウス科学コンテスト「Intel Science Talent Search」で賞を受賞した。

その後も文書判読機、光学文字認識機（OCR）、音声認識機、平版スキャナー、文書を音声で読み取る視覚障害者用音声変換機、音楽専門家の必須装備となったシンセサイザー（Synthesizer）カーツワイルなど、数多くの発明品を創案し、「二一世紀のエジソン」と呼ばれている。

レイ・カーツワイルはマサチューセッツ工科大学（MIT）を卒業し、二〇個の名誉博士号を取得し、三人の米大統領から勲章を受けた。米ウォール・ストリート・ジャーナルは彼を「疲れを知らない天才」、フォーブスは「最高の思考機械」と称した。本当に多方面で活動していて職業も一つや二つではない。アメリカ生まれ、作家、コンピューター科学者、発明家であると同時に未来学者である。現在、アルファ碁を開発するグーグルのエンジニアリング部門の理事でもある。

彼は死なないために毎日一〇〇錠程度の錠剤を摂取しているという。それは自分の身体にぴったり合うように作られていて、年間数億の費用がかかるという。永生のためのメニューを作成して食べたりもするが、そのためか現在六九歳の彼の身体年齢は四〇代だという。また、彼は人体冷凍保存術（CRYONIC）会社のアルコア生命延長財団（Alcor Life Extension Foundation）に加入している。

一生を新しい技術で人々を導いてきたレイ・カーツワイルは、またシンギュラリティーが来る時期まで新しい未来を予測し、自らそれを示している。その後、結果がどうなるか見守らなければならないが、彼の人生はエジソンのように他の人よりも一歩先に進んでいる。

PART Ⅳ　政策科学と第四次産業革命
——第四次産業革命との接点

第四次産業革命の創始者——クラウス・シュワブ（Klaus Schwab）

問題関心——国際情勢の危機、我々はいかにより良い状態へと進むことができるのか

「私たちが生きている世の中をより良い状態にするために！」
（Committed to improving the state of the World!）

「私たちが生きている世の中をより良い状態にするために！」というスローガンはクラウス・シュワブ会長のダボス・フォーラムにおいて打ち出したミッションである。

クラウス・シュワブは一九七一年、世界経済フォーラム（ダボス・フォーラム）の前身である「ヨーロッパ経営シンポジウム」を創立した当時の国際情勢について、次のように述べている。

当時の世界は技術的、政治的、社会的、経済的に激変の時期（A Period of Upheaval）でした。ルイ・アームストロングの月面着陸、冷戦体制（Cold War）を激化させたベトナム戦争、国際関係の中でのアメリカの役割についての疑問、（当時の）先進国で展開された市民権運動、貧困撲滅と正義のための社会的抵抗と、時折行き過ぎた暴力的抵抗、発展途上国での社会的・経済安定化の構築に伴う難しさ、アメリカの金本位制度（Gold Exchange Standard）からの脱退、ニクソン大統領の辞任による大衆の信頼崩壊と政治危機、中東紛争、オイルショック（Oil Price Shocks）などは、世界経済を揺るがし、国際エネルギー危機を引き起こした（Klaus Schwab, 2009: 8）。

このように、当時の国際情勢は今とは比べ物にならないほど激動の時代であった。シュワブは「世界平和と経済的危機を打開するために、最も重要なことは協力とネットワークである」と考えた。

そこで一九七一年、ヨーロッパの企業家とアメリカの著名なビジネス・スクールの教授たちが集まり、様々な経営問題について率直に話し合うために、ヨーロッパ経営シンポジウム「European Management Symposium」を発足させた。

初期シンポジウムは西ヨーロッパを中心に三一カ国から四四四名の企業経営者が出席し、その後、この成功に支えられヨーロッパ経営フォーラム（The European Management Forum, EMF）へと拡大した。

その後、一九八七年にヨーロッパの境界線を取り払い、かつより広範な観点から国際的な衝突及び世界経済問題を解決するために、組織のビジョンと参加構成員を拡大することにした。それが現在の世界経済フォーラム（World Economic Forum）、ダボス・フォーラムである。

ダボス・フォーラムは様々な社会的・経済的な国際的争点を取り扱い、二〇一六年のフォーラムでは第四次的産業革命を提唱した。その後、第四次産業革命という新しい単語は、世界の産業、経済、文化革命の中心的な話題に浮上するほど世界的な話題になった。つまり第四次産業革命と言えば、それを提唱した世界経済フォーラムが想起されるが、その中心にはクラウス・シュワブがいる。

解決策――第四次産業革命の技術革新、その裏面に注目すべきはヒューマニズム

二〇一六年一月二〇日に開催されたダボス・フォーラムでは「第四次産業革命の解明（Mastering the fourth industrial revolution）」がテーマに取り上げられ、それが、世界的な経済危機克服の解決策として第四次産業革命の意義と必要性、進むべき方向性について議論する契機となった。

第四次産業革命はさまざまな観点から定義・照明されている。

第一に、歴史的観点から、第三次産業革命であったデジタル革命を超えた新たな変化であり、科学技術とデジタル化が政治・社会・経済など人間を取り巻く生活のあらゆる部分を変える破壊的革新を意味する。特に、シュワブ会長は第四次産業革命を導く次世代技術（Tipping Point）として物理学（Physical）〔無人運送手段、3Dプリンティング、先端ロボット、新素材など〕・デジタル（Digital）〔モノのインターネット、デジタルプラットフォームなど〕・生物学（Biological）〔人ゲノムプロジェクト、合成物理学、バイオプリンティングなど〕技術の融合を提示している。

第二に、第四次産業革命の到来は超連結性（Super Connectivity）と超知能性（Super Intelligence）を意味する。過去にはインターネットを通じて人‐人の間のつながりに止まっていたとすれば、今は人‐機械‐知能‐データ‐サービスなど人とモノ、ひいては現実世界と仮想世界までつながる超高度化現象が現れるだろう。

第三に、単なる情報蓄積を超えて、膨大なデータを分析して一定のパターンを把握するなど、人間の知能水準を上回る超知能化が実現されることである。こうした超連結性、超知能性をもとに物理・仮想的・生物学的領域の融合が行われ、製品及びサービスの生産・管理・消費など人間の暮らしを取り巻くあらゆる態様が自動化・知能化される革新的技術（Disruptive Technology）は既存社会の全般的構造変化をもたらしている。彼は世界経済フォーラムで「ソフトウェアと社会の未来」というテーマで、約八〇〇人以上の経営陣を対象に、世界の流れを変える技術が公共の領域に深く浸透する場合、いつ、どのように、何が変化するのかについてのアンケート調査を実施した。その結果、約二三のソフトウェア技術に対する転換点（Tipping Point）が示された。当該アンケートに基づき導き出された二〇二五ティーピングポイントは、①体内組み込み型機器、②デジタル・アイデンティティ、③新しいインターフェースとしての視覚、④ウェアラブル・インターネット、⑤ユビキタス・コンピューティング、⑥ポケットの中のスーパー・コンピュータ、⑦誰でも使えるリポジトリ、⑧モノ・インターネット、⑨コネクテッド・ホーム、⑩スマート都市、⑪ビッグデータを活用した意思決定、⑫自律走行車、⑬人工知能と意思決定、⑭人工知能とホワイトカラー、⑮ロボット工学サービス、⑯ビット・コインとブロック・チェーン、⑰共有経済、⑱政府とブロック・チェーン、⑲3Dプリンティング技術と製造業、⑳3Dプリンティング技術と人間の健康、㉑3Dプリンティング技術と消費者製品、㉒カスタマイズされた赤ん坊、㉓神経技術などである。

シュワブは「私たちの生活を一変させる第四次産業革命が近づいており、その速度が既存革命と比較にならないほど速く広範囲に起こっている」と話す。

ここで注目すべきは、第四次産業革命の砲門を開いた本人にもかかわらず、社会的影響力については、命と癌の両方を考慮すべきことを唱えているという点である。第四次産業革命がもたらすハード・ソフト的技術の発展の裏には、労働市場の崩壊、社会的不平等の深化、人間の価値に対する評価の引き下げ、手段（技術的発展）と目的（人間の幸福）間の転倒など多様な社会的失敗が到来しうるというのである。

これを克服するため、二〇一七年世界経済フォーラムでは、第四次産業革命の核心にはヒューマニズムが必要であり、これを実現させるための戦略として、「応答と責任のリーダーシップ（Responsive and Responsible Leadership）」を提示している。つまり、第四次産業革命時代の政府は不安感と挫折感を感じる人に対して率直に反応し、公正かつ持続的成長が可能な解決策を提供しなければならないという責任感を持った政府でなければならず、具体的に社会的・経済的リーダーは物理的な技術の進化とともに四種類の知能（状況文脈知能、情緒知能、霊感知能、身体知能）を備えなければならないことを提示した。

第一に、状況文脈知能とは、認知したことをよく理解し、適応する能力を意味する。すなわち、新しい動向を予測し、断片的事実から結果を導き出す能力と自発性を意味する。これは、効果的なリーダーシップの典型的特徴として急速に変化する第四次産業革命の特徴を考慮するなら、適応と生存の前提条件と言える。

第二に、情緒知能とは、考えと感情を整理して結合し、自分自身や他人との関係を取り結ぶ能力を言う。情緒知能は状況的文脈知能を補完するメカニズムである。彼は社会的・経済的リーダーが合理的知能とともに自己認識（Self-Awareness）、自己規律（Self-Regulation）、動機付与（Motivation）、感情移入（Empathy）のような感情的知性を基に、様々な分野の協力を誘導することができなければならないと主張する。

第三に、霊感知能は変化を導き共同の利益を図るために個人と共同の目的、信頼性、様々な徳目などを活用する能力を指し、その核心として「共有（sharing）」に注目している。単に個人の利益を犠牲にし、自分自身の欲求を調節するのではなく、個人の利益と共同の目的意識の間のバランスを通じて公共の利益を追求することが、すなわち自分自身の利益になり得ることを認知しなければならない。

最後に、身体知能は個人が受ける変化と構造的変化に〔対処できる〕必要なエネルギーを得るために、自分と自分の周辺の人々の健康と幸せを追求し維持する能力の大切さを強調している。

以上を総合すると、迅速な問題解決能力（Agility）と共に応答と責任のリーダーシップ（Responsive and Responsible Leadership）である。

シュワブは、第四次産業革命という革命的変化、あるいはより良い世界への進化は、技術的革新ではなくヒューマニズムにあると見ている。つまり社会的・経済的リーダーは単純な合理的知能を超えて他の人を包容して理解し、多様な利害関係者間のネットワークを基盤に公共の利益を創出できる革新的リーダーでなければならないという。

科学技術が人間〔の制御〕を超える危機を招いている現時点で、世界的リーダーあるいは政府が備えるべき徳目は、単に技術的力量だけでなく、情緒的・霊的力量が強調されている点をここで私たちは注目する必要がある。

問題解決の道筋を示す方向性——核心は人である、人間中心の政策科学

「結局、すべてのことは人と価値にかかっている！」

（In the end it all comes down to people and value!）

このすべての変化の中心には人がいる。人と価値が核心である。第四次産業革命は、従来の革命とは比較になら

ない幾何級数的速度の変化（velocity）をもたらしている。単なる産業の境界を越えて、個人・社会・国など、人間を取り巻く様々な範囲と深さのパラダイムの転換が進められており、全地球的な影響（System Impact）を及ぼしている。

第四次産業革命は人類にとって「革命的機会（Humanizing Robot）」であると同時に、人間そのものの「根本的な脅威（Robotize Humanity）」である。避けられないこのような激変の渦巻き（Vortex of Turbulence）に直面して、私たちはどのようにしてより良い社会的状態へと進むことができるだろうか。

良いガバナンスは、生産性（Productivity）、民主性（Democracy）とともに省察性（Reflexivity）の価値に基盤を置かなければならない。いかなる要素でも均衡から外れる場合、政策はまた別の社会的問題の原因として作用しうるし、これは政策の失敗を意味する。

第四次産業革命の中でのガバナンスも、科学技術の発展による生産性の向上（生産性）、電子政府やモノのインターネットによる直接民主主義の実現（民主性）とともに、必ず人間が中心となる社会の実現（省察性）がなければならない。シュワブ会長が主張するように、すべての政策の終点には人間がいることを忘れてはならないであろう（In the end it all comes down to people and value!）。

また、ヒューマニズムの価値を実現するためには、国政リーダーの役割が重要である。認知能力としての合理性とともに、状況的文脈知能、情緒知能、霊感知能、身体知能を基にした「反応と責任のリーダーシップ」が必要である。第四次産業革命が求めるリーダーは、単純な「知能的リーダー」ではなく、「知恵を備えたリーダー」であり、人に対する愛情を基に、人と人、世の中と世の中の関係を拡張していくコミュニケーションと共感のリーダーであらねばならないであろう。これがまた、人間の尊厳を志向する民主主義的政策科学の精神であろう。

◉小休止：クラウス・シュワブの生涯

クラウス・シュワブ会長はドイツ系ユダヤ人で、ハーバード大学で学んだ。スイスのジュネーブ大学（Geneva University）で経営政策（Business Policy）教授を歴任し、ネットワーキング能力と創意的アイディアにおいて卓越していると評価されている。

クラウス・シュワブ会長は、アメリカ国内にヨーロッパ企業のネットワークを構築するため、一九七一年にダボスでヨーロッパ経済フォーラム（European Management Forum）を開催し、それを一九八七年にはヨーロッパの境界線を取り払い、より広範囲な観点から国際的問題を解決するために現在の世界経済フォーラムへと発展させた。世界経済フォーラム（ＷＥＦ）は国際協力を強化し、国際的葛藤を解決するために政治的・経済的・社会的境界を取り払い、国際社会を導く著名な経済学者、政治家、科学者、実業家が毎年、ダボス（Davos）で集まる集団知性の具現の場（The place where leaders meet by Klaus Schwab）となった。オバマ米大統領、サルコジ仏大統領など世界的な政治家がダボスに招かれ、二〇一七年のダボス・フォーラムの基調演説者は中国の習近平主席だった。世界中の著名人がこのフォーラムに招かれ、演説することを最大の栄誉と思うほど、このフォーラムは世界の政治、経済、経営の代表的な舞台となっている。もちろんその舞台の中心には、クラウス・シュワブ会長がいるのである。

限界費用ゼロ社会――ジェレミー・リフキン（Jeremy Rifkin）

問題関心――果たして人類に持続可能な未来があるのか。

一九七〇年代以降の技術発展は、社会各分野に多大な影響を及ぼした。中でも産業分野におけるコンピューターの発展を筆頭とした情報技術の発展は、企業にとって生産性の向上を図るよい手段として認識された。

しかし、私たちが享受する豊かな暮らしは無分別な資源の消費を基盤に成り立っている。人間の生活の質が向上すればするほど、資源枯渇と環境汚染は深刻化する。また、自動化された技術の導入は、人間にとって便利さをもたらしたが、機械が人間にとって代わり、人間の生存が脅かされる境遇に置かれることになった。

それによって、わが社会は失業による社会的コストが増加し、国家経済がこれ以上成長できず停滞するという危機感が高まっている。日増しに衝撃的な犯罪が絶えず発生し、人々の間の愛と共感能力は弱まり、階層間、世代間の葛藤が深まっている。地球環境は変化し、誰かの暮らしを脅かしており、自然が提供していたエネルギーの資源が枯渇しつつある。

これらはどれか一つだけを切り離して解決することができない、互いに密接に絡み合っている巨大な構造の手に負えない危険極まりない諸問題（Wicked Problems）である。このように科学技術がもたらした手に負えない危険極まりない諸問題の中にあって、アメリカの経済学者であり、未来学者、社会運動家でもあるジェレミー・リフキンは、人類に持続可能な未来があるのかと疑問を抱き始めた。

解決策――協力的共有社会と限界費用ゼロ社会

ジェレミー・リフキンは人類の持続可能な未来のための解決策を示そうと努力した。

彼の著書『労働の終わり（The End of Work）』（1995）によると、情報化社会は人間の生活を豊かにするどころか、むしろ雇用を奪い、人間の生存を脅している。リフキンは、少数のエリートを除いた人間の労働が徐々に取り除かれ、持てる者と持たざる者の差は大きくなり、両極化した社会は人間を反理想郷・暗黒世界（dystopia）に落とすことになるであろうと診断した。これを防ぐために、リフキンは、労働時間を減らし、非営利的な第三部門で雇用を創出し、生産性向上の恩恵を社会構成員全体に均一に分ける「生産性革命」が必要であると主張する。

その後、リフキンは『第三次産業革命（The Third Industrial Revolution）』（2011）という著書を出版した。また化石燃料を動力とした第一次・第二次産業革命が各種環境汚染を引き起こしながら、人類を脅かすと指摘しながら、再生可能なエネルギーをインターネット技術と融合し、生産限界費用をゼロにする、新しい形態の第三次産業革命を解決策として示した。これは用語だけが第三次産業革命であって、最近出ている第四次産業革命よりも、これからの未来を描いたものと評価されている。

また、これは後に出版された『限界費用ゼロ社会（The Zero Marginal Cost Society）』（2014）ともつながる。リフキンは、複合的に絡み合って一度にすべてを解決することができない巨大な構造の手に負えない危険極まりない諸問題の解決策として、「限界費用ゼロ社会」への転換と新たな経済システムである「協力的共有社会《コモンズ》（Collaborative Commons）」の登場を提案した。

リフキンは、昨今のような先端技術集約的な環境においてこそ限界費用がゼロに近い社会が誕生しうると主張した。技術革新、すなわち資本主義の生産性追求が極度に達すれば、協力的消費を通じて全てを無料で得ることができ、これを彼は限界費用ゼロの社会と称した。

そして全ての人が協業で生産過程に参加し、その結果得た産出物を共有する「協力的共有経済《コモンズ》」方式で経済が運営されれば、限界費用がゼロの状況で全ての人が資源を思う存分に使用しても枯渇しない豊かさを享受できるようになる、と主張した。

問題解決の道筋を示す方向性――人間の共感能力に基づいた人間中心の政策科学

ラスウェルによれば、政策科学は問題解決を志向しながら、時間性と空間性の文脈性を有し、また純粋学問と同時に応用学問として学際的志向性を有する。何よりも政策科学の最終的な目標は人間の尊厳性を実現することである。

リフキンは、ラスウェルの政策科学のパラダイムのように、社会の問題を解決する上で、人間をその中心に置いた。どのような技術の発展も、それ自体だけでは問題の解決には役に立たない。先端技術も表面的には進歩のように見えるが、実際には足踏み状態と同じである。

人間の問題を解決するためには、考え方、すなわちパラダイムを変えなければならない。リフキンは人間の「共感能力」に注目する。彼は『共感の時代（The Empathic Civilization）』（2009）で、人間の共感能力を通じて人間は協力でき、資源をむやみに開発するのではなく、互いに協力し共有し合い、社会の様々な問題点を解決しなければならないと強調している。

このように、リフキンは、社会問題の解決のために単純に政策手段だけを提案したのではなく、人間中心の哲学とアプローチ方法を示したことに大きな意味を見出すことができる。そして、その方向性は人類の愛と共感能力のような人間の尊厳性を増進させることができる核心価値において見出されなければならないだろう。

◉小休止：ジェレミー・リフキンの生涯

世界的な経済学者であり、文明批評家として知られるジェレミー・リフキンは、一九四五年米コロラド州デンバーで生まれた。一九六七年ペンシルベニア大学ウォートンスクール（Wharton School）で経済学の学位を取得し、ボストンのタフツ大学（Tufts University）フレッチャー・スクール（Fletcher School）で国際関係学修士号を取得した。

一九六六年のある日、リフキンは、ベトナム戦争に反対する学生が弾圧されるのを見て、大きな衝撃を受けた。その翌日、リフキンは言論の自由集会（A Freedom-of-Speech Rally）を組織して反戦・平和運動に積極的に参加した。

これを機に、リフキンは「行動する学者」に生まれ変わる。一九七七年に経済動向研究財団「Foundation on Economic Trends」（FOET）を設立し、現在まで理事長を務め、労働問題、生命科学実験の倫理性問題の提起、アメリカの公的年金基金への投資、遺伝子組換え食品表示要求など、国内外の公共政策の懸案に積極的に取り組んでいる。また、一九九三年に「肉を食べない運動（Beyond Beef Coalition）」を設立し、夫人のキャロル・リフキン（Carol Grunewald Rifkin）と共に菜食運動とグリーン生活運動を展開している。

現在、リフキンは一九九五年から母校のウォートンスクールの最高経営者課程の教授を務めており、全世界を旅行しながら、グローバルトレンド、科学技術が経済と社会に及ぼす影響などについて講演を行っている。リフキンは、二〇一五年にMITで『ワールドポストとハフィントンポスト（World Post & Huffington Post）』誌が行った調査の「世界で最も影響力のある経済思想家（The Top 10 Most Influential Economic Thinkers）」一〇位内に入った。

彼の経歴や著書を見ると、リフキンの活動分野は生命工学、物理学、社会学、未来学などにわたっている。彼は一九八〇年『エントロピー法則（Entropy: A New World View）』を筆頭に、『労働の終わり（The End of Work）』（1995）、『所有の終わり（The Age of Access）』（2000）、『水素経済（The Hydrogen Economy）』（2002）、『共感の時代（The Empathic Civilization）』（2009）、『第三次産業革命（The Third Industrial Revolution）』（2011）、そして『限界費用ゼロ社会（The Zero Marginal Cost Society）』（2014）など、二〇冊に及ぶベストセラーを出版した。これらの本は約三〇の言語に翻訳され、その影響でリフキンは欧州連合や中国などの全世界の指導層と交流し、政策諮問役を引き受けている。

PART V　政策科学と包容のリーダーシップ
――リーダーシップとの結合

統合と包容のリーダーシップ――アダム・カヘイン（Adam Kahane）

問題関心――複雑な問題と葛藤はいかに解決すべきか？

最近、現代社会は、多様な利害関係の絡み合った複雑な問題とともに、ニューノーマル（New-Normal）時代という新しい状況に直面している。私たちは貧富の格差、地球温暖化、核危機、就職難、内乱と紛争のニュースについて、様々な媒体を介して、毎日のように接しているのが実情である。世界各地を回って多様な分野の指導者たちと複雑な構造の手に負えない危険極まりない諸問題の解決のために努力した人がいる。その人の経験と教訓を紹介したい。彼の名はアダム・カヘインである。

彼は次のような質問をしている。

第一に、解決が極めて困難な問題をいかに解決すべきか。

第二に、複雑に絡み合って膠着状態に陥った問題はいかに突破すべきか。
第三に、いかにして社会変化を作り出すことができるのか。

このような問題関心を持ったアダム・カヘインは、南アフリカ共和国のアパルトヘイト・シンドロームの解決をはかるシナリオ・プランニングを「モンフレ・カンファレンス（Mont Flare Conference）」という有名なプロジェクトの実現を通じて成功させた。

彼は、この経験と共に、マーティン・ルーサー・キングの演説から示唆を得て、紛争解決の呼び水としての「力」と「愛」の力学関係に注目するようになった。

「愛のない権力は無謀で暴力的であり、力のない愛は感傷的で無気力である。」
(Power without love is reckless and abusive, and love without power is sentimental and anemic)

Martin Luther King Jr.

愛のない力は無謀で暴力的で、力のない愛は感傷的で弱々しいため、このバランスが大事だということに気づいたのである。これに対してアダム・カヘインは葛藤を解く解決策として「力と愛の統合」を示した。

解決策――力と愛の均衡点の模索

アダム・カヘインは一九九一年、南アフリカ共和国で激化し始めた白人・黒人種間の葛藤を解決するため、モンフレ・カンファレンスを主宰することになった。モンフレ（Mont Flare）は田園の風景の美しいぶどう農場である。ここにあるカンファレンス会議場で、異なる人種と背景を持つ二二人の参加者は、一年以上、膝を突き合わせて南アフリカ共和国の葛藤を解決し、未来を実現するために様々なシナリオを作成する作業に取り組んだ。それはシナリオ・プランニングを利用した未来志向的な葛藤解決方式であり、その結果は成功であった。モンフレ・カンファレンスに参加した指導者たちは生産的な討論の重要性に気づき、コミュニケーションによる和合の可能性を発見した。また、これは和合と統合政策の土台となり、彼らに「複雑な問題はスーパーマンが解決するのではなく、問題の当事者が集まって自ら解決策を用意することで解決できる」ということを悟らせた。

以後、アダム・カヘインはコミュニケーションを通じて心を開いて統合することで新しい社会現実を創造することができるという信念とともに、力と愛の均衡を通じた葛藤解決の方法を示すことになる。

アダム・カヘインが主張する葛藤の解決策は、一言で言えば、「開かれた心」である。その中でも、力（Power）と愛（Love）に彼は注日する。戦争と平和のように、まるで正反対のアプローチと見えるこの二つの方法を統合させて、新しい解決策を創出してこそ、葛藤を解決することができるということである。

彼は世界各地で発生する葛藤と問題解決のための力と愛に対する理解を促進するために、パウル・ティリッヒ（Paul Tillich）の見解を借りた。

まず、力とは「強度を高め、外延を拡張しながら、自己実現のために努力する全てのことの動力」として、一個人あるいは集団の目標を達成し、業務を完遂し成長する動力である。

次に、愛とは「分裂したものを統合に向かわせる動力」であり、これは分裂したものや、そう見えるものを再び連結して一つにする動力である。

力が個人や集団が自己実現のために動く動力であるなら、愛は多くの主体が力を用いて紛争を起こした時、彼らを統合する動力を言う。道徳の欠如した力と、力の欠如した道徳の衝突が、私たちが直面した重大な危機の原因であるため、力と愛のバランスを取ることが統合において最も重要である。

また、力と愛は生成的な（Generative）属性と退行的な（Degenerative）属性に区分される両面性を持っているという点に注目しなければならず、両者をむやみに混ぜたり、片方だけを選択したり無理に合わせてはならない。外部と自分の内面すべてにも力と愛のジレンマによってもたらされた創造的緊張という力と愛の両面性を認識し、バランスよく使う必要がある。

問題解決の道筋を示す方向性——統合を越えて包容へ、統合と包容の政策科学

アダム・カヘインは、政治家とゲリラらとの交渉、社会活動家と公務員の会議、学界と労働組合の集まりで進行役を務め、世界各地で「人々はいかにして困難で複雑な問題を解くことに成功するのか、あるいは失敗するのか」を経験した人がいる。彼は自らを問題解決の中立的な調整者（Facilitator）と称する。

アダム・カヘインは、モンフレ・カンファレンスを通じて得た統合のリーダーシップと、それに加えて力と愛のバランスがもたらす包容を強調する。言い換えれば、様々な社会問題と葛藤に対処する上で、両極端の方式ではなく、互いに緊張関係にある全く異なる二つの根本的な動力を活用しなければならないということである。

人類の歴史は、これまで様々な問題と葛藤を解決するにあたって、力と意志に依存してきたのは事実である。これは必然的に、否定心理と利害関係の衝突という副作用を生み出す他なかったのである。

このような副作用を取り除くために、問題解決の第一歩として、まず複雑な問題は発生学的、動態的、社会的に複合性を帯びた予測不可能な問題であることを認識しなければならない。すなわち、問題は様々な複合性を持っているため、力に依存した強圧的な方式は持続可能な問題解決にはならないという点を認識しなければならない。

次に、理想的な葛藤の解決は力とともに和解と愛の変数を投入してこそ可能だという点を悟らなければならな

い。持続可能な真の変化を遂げるために、片方に偏らず、力と愛のバランスを見つけようとする努力が求められる。これだけが究極的に平和と幸福、さらには創意性による発展、成長、革新という結果をもたらすのである。

第四次産業革命に示される、ますます複雑になる世界は、ますます不特定の脅威を絶えず生み出し、激烈な葛藤を生んでいる。これに対して私たちはアダム・カヘインの「知恵」を借りなければならない。相手の助けなしには楽しめないシーソーゲームのように、互いの重みのバランスを合わせるためのコミュニケーションと協力を通じて、真の信頼と包容という新しい人類の挑戦を通じて、新しいヒューマニズムを発見していかなければならないだろう。それはまた、未来政策科学に与えられた使命であり、課題でもある。

◉小休止：アダム・カヘインの生涯

アダム・カヘインは、カナダ・モントリオール生まれで、幼い頃から難しい問題を解決する専門家になろうと考えていた。彼はモントリオール・マギル大学（McGill University）で物理学の学士課程を首席で卒業し、カリフォルニア大学バークレー校（University of California at Berkeley）でエネルギーと資源経済で、そしてワシントン州にあるバスタ大学（Bastyr University）で応用行動科学で修士号を取った。また、ハーバード・ロースクールで交渉学を学んだ。

一九九〇年初めまでは、世界的なエネルギーの多国籍企業のシェル（Royal Dutch Shell）において社会、政治、経済、技術分野のシナリオ・プランニング（Scenario planning）を作成するチームのリーダーとして働いた。シェル（Shell）入社前は、カリフォルニア州にあるパシフィック・ガス・アンド・エレクトリック社（Pacific Gas & Electric）、パリの経済協力と発展のための機構、ウィーンにある応用システムの分析のための国際研究所、東京にあるエネルギー経済研究所、そしてトロント大学、ブリティッシュ・コロンビア州大学、西ケープ大学で戦略研究員として活躍していた。

こうした経歴を持つ彼は、一九九一年と一九九二年にモンフレ・シナリオ・プランニングを進めることになり、南アフリカ共和国の葛藤の解決に当たることになる。以降、シェルの企画チーム長という安定したポストを捨て、シナリオ・ワークショップを通じて紛争を解決するコンサルティング会社を設立する。彼は、様々な紛争地域を回りながら、シナリオ・ワークショップを運営した。バスク分離主義者と連邦主義者が対立するスペイン、英語圏とフランス語圏が対立するカナダ、司法改革を試みるアルゼンチン、交渉が進行中のイスラエルとパレスチナ、政府軍と反政府ゲリラが戦っているコロンビア、大規模虐殺が終わった後のグアテマラなどで、彼は人々が新しい未来の青写真を作り出すのを助けた。

アダム・カヘインは『リードするグローバル経営（Fast Company）』誌が授与する、世界をリードする人物に選定された。

信頼と包容のリーダー――ネルソン・マンデラ（Nelson Mandela）

問題関心――黒と白の両極の中で悟った自覚

ネルソン・マンデラは一九一八年、南アフリカ共和国のムベジョーで酋長の子として生まれ、大した苦労もなく幼年時代を過ごし、ポートヘア大学に入学した。ポートヘア大学在学時、ネルソン・マンデラは人生を変える事件を目撃する。黒人の友人が白人に侮辱されているのを見たのである。これを見たネルソン・マンデラは人種差別的待遇にショックを受けた。これは間違っていると悟った。人種差別の不当性を自覚したネルソン・マンデラは、ポートヘア大学で学生代表委員として活動したが、学校側との対立で退学した。

学校をやめたネルソン・マンデラはヨハネスブルグの不動産事務所で書記として働くことになる。そして弁護士という職業を知り、弁護士を夢見て法律の勉強を始めた。そして、ウィットウォーターズランド大学（University of the Witwatersrand）に入学した。ネルソン・マンデラは法律を学びながら人種差別をなくすための準備を着実に始めた。まず、アフリカ民族会議（ＡＮＣ）傘下の青年連盟を作り、非暴力運動を通じてアパルトヘイト反対運動に積極的に乗り出した。厳しい戦いであったが、人種差別の撤廃を目指し、ネルソン・マンデラと同僚たちは一歩ずつ前進した。

しかし、ネルソン・マンデラに悲劇が訪れた。彼が属していた団体の汎アフリカ会議（Pan Africanist Congress: PAC）が強硬な闘争を展開し、その一環としてある村では大規模集会を開いたが、警察が銃を乱射して六九人が死亡する事件が発生した。この事件を契機にネルソン・マンデラは、平和的デモ運動を中止し、武装闘争を展開した。「国民の窓（Umkhonto we Sizwe）」という秘密軍隊を作り、武装闘争を行うための軍事訓練を受けた。その間、「国民の窓」を作ったことで逮捕され、終身刑が言い渡された。

解決策――真の信頼と包容を示すリーダーシップ

ネルソン・マンデラは一時期仲間たちの死に怒りを感じて武装闘争を展開しようとしたが、監獄に入ることになり、初心に立ち帰る時間を持った。アフリカ民族会議で彼が初めて非暴力平和運動を展開すべきであると主張した時のことを思い出した。初心を改めて肝に銘じたネルソン・マンデラであったが、アフリカ民族会議の指導者たちとともに内乱陰謀の容疑を受け、終身刑が言い渡された。しかし、ネルソン・マンデラは絶望しなかった。まず、ネルソン・マンデラは劣悪な監獄環境を改善するために闘争し、徐々に監獄環境は改善され始めた。

ネルソン・マンデラは周辺の環境と人を変化させるために率先垂範した。ネルソン・マンデラは刑務所で木を植え、野菜畑を作った。そして毎日根気強く運動をした。これを見た服役者たちも変わり始めた。ネルソン・マンデラに従って木と野菜畑を作り、運動を始めた。そして彼は、在監中の政治犯たちとの対話を通じて、南アフリカ共和国が進むべき方向性を知らせた。ネルソン・マンデラの名声は刑務所に入る前より高くなっていた。このような話は外に広がり、人種差別政策の撤廃につながり始めた。

一九九〇年、彼は二七年間の服役から解放された。終身刑を受けたネルソン・マンデラが釈放された理由は、黒人のデモが次第に激化して政府が制御できないほどになっていたからであった。ネルソン・マンデラは慌てなかった。彼は南アフリカの国民が協力して解決できると信じていた。そして白人政府と交渉を続けながら、民主的な選挙を主張した。そして、ついに一九九四年、南アフリカ共和国で初めて白人と黒人が参加した自由な総選挙が実施され、この選挙を通じてネルソン・マンデラは南アフリカ共和国の大統領に選ばれた。

ネルソン・マンデラは、不偏不党の立場から、約三五〇年間のアパルトヘイトを撤廃させ、白人と黒人が参加した自由な総選挙を実施した。葛藤もあり、痛みもあったが、彼は不偏不党の心を失わなかった。また、「真実と和解委員会」（ＴＲＣ）を設置し、絶えず自分を苦しめ、さらには殺そうとした白人たちに和解の手を差し伸べ、心から反省する白人たちを許した。ネルソン・マンデラは不偏不党の心を基にしたリーダーシップを通じて、南アフリカ共和国の黒人はもちろん、白人たちの心まで動かした。

問題解決の道筋を示す方向性――国民の心を動かす政策科学

「許すが、忘れはしない」ネルソン・マンデラ

マンデラ氏の自叙伝『自由への長い旅路』を共に執筆したリチャード・ステンゼル（Richard Stengel）は、マンデラは公と私が透明な人であり、リーダーシップの基礎である不偏不党の心と包容を教えていると述べた。ネルソン・マンデラは、不偏不党の心と包容を通じて約三五〇年間にわたって分けられていた南アフリカ共和国の白人と黒人を一つの南アフリカ共和国の国民に和合させた。無理に力によって和合させたのではなく、本人がまず白人たちを許し包容する姿勢を示しながら、国民を動かした。このようなネルソン・マンデラ氏の姿は、政策決定権者、政治指導者が学ばなければならないだろう。

ネルソン・マンデラは自分を二七年間も服役させ、殺そうとした白人たちを許した。ただ口先だけでなく、白人たちとともに南アフリカの問題について討論し、解決策を探した。

ネルソン・マンデラが直接参加していないが、モンフレ・カンファレンスを通じて出されたシナリオをもとに国政を運営した。モンフレ・カンファレンスは黒人と白人の対立によって続いた無政府状態を終息させる方向へ、そして南アフリカ共和国の国のあり方を転換させるために、一年間、異なる人種と背景を持つ二二人が参加し、シナリオ・プランニング（Scenario Planning）を通じて南アフリカ共和国の今後のシナリオを企画したものである。

ネルソン・マンデラは、モンフレ・カンファレンスを通じて出されたシナリオをもとに、白人を排斥せず共に協力した。これは、過去に黒人が排斥された時を忘れたからではない。つまり、忘れなかったということは、ネルソン・マンデラが白人を完全に許さなかったという意味ではない。白人の過ちは許すが、過去の経験を通じて悟った過ちは忘れはしなかったということである。これは、ネルソン・マンデラ政府のスローガン「許すが、忘れはしな

い」という言葉で説明できる。

◉小休止：ネルソン・マンデラの生涯

ネルソン・マンデラの本名は、ネルソン・ロ―リララ・マンデラ（Nelson Rolihlahla Mandela）で、南アフリカ共和国で自由な総選挙を通じて選ばれた南アフリカ共和国初の黒人大統領である。

ネルソン・マンデラは一九一八年南アフリカ共和国ウムベゾで酋長の子として生まれた。ポートヘア大学で黒人の友人が白人に侮辱されているのを見て、ネルソン・マンデラはアパルトヘイトの問題を認識するようになった。彼は学校をやめて弁護士になった。そしてアフリカ民族会議（ANC）の指導者としてアパルトヘイト撤廃運動の先頭に立って闘った。一九六二年、反逆罪で終身刑を言い渡されたが、二七年ぶりに出所した。ネルソン・マンデラは一九九三年にノーベル平和賞を受賞し、一九九四年に実施された自由な総選挙で南アフリカ共和国初の黒人大統領に就任した。

大統領就任後、自分を苦しめた白人を迫害せず、「真実と和解委員会」（TRC）を結成し、許しと和解を強調した。彼は白人を許したが、〈被害を受けた〉黒人〈の苦しみ〉を忘れはしなかった。アパルトヘイト被害者の墓に碑石を建てることで、アパルトヘイト時代の国家暴力の被害者が忘れられないようにした。

ネルソン・マンデラの不偏不党の心と包容を通じて見せたリーダーシップは、多くの人々に手本となった。彼の著書『自由への長い旅路』は、ニューヨークタイムズが選んだ二〇世紀最高の本の一冊となっている。そして二〇〇八年にロンドンでエイズ撲滅基金のためのコンサートが開かれたが、そのコンサートの名前は「46664エイズ撲滅基金募金慈善コンサート」であった。「46664」はネルソン・マンデラが刑務所に収監された時の番号である。囚人番号だったが、これは平和と自由の番号となった。ネルソン・マンデラは二〇一三年一二月五日に他界したが、依然として世界平和の土台を作った不偏不党の心と包容を示したリーダーとして記憶されている。

PART Ⅵ 共通分母探し
――政策科学の知の統合的アプローチ、将来予測及び第四次産業革命との接点

統合的リーダーシップとの共通分母

以上、五章にわたって述べたように、政策科学は政策研究と政策哲学とを合成させた学問である。したがって政策科学は、現代社会の多様な政策現象に対する科学的探求を行う反面、人類が生きてきた生と存在の根拠、その文化と思考方式、そして文明史的軌跡について文学、歴史、哲学などを中心に人文科学的に多様かつ幅広く考察しなければならない。このような理由から政策科学と、人文科学の知見に支えられた政策哲学との統合的研究は十分条件ではなく、必要条件である。

このような基本的認識に基づいて、本書では、大きく政策科学の巨匠たちの理論的土台とともに、政策科学と深い関連を持つ隣接学問についても考察した。本書で検討した隣接学問は次の三つの理論的軸（Pillars）である。すなわち、未来予測学、第四次産業革命、統合的リーダーシップである。

この章では政策科学、未来予測学、第四次産業革命、統合的リーダーシップの巨匠たちの主な主張を総合的に整

理したい。これによって、私たちが社会現象を見極める本質的観点をどこに置くべきか、そして政策科学者としての世界観をどのように定立すべきかを創造的に模索してみることにしたい。

政策科学のパラダイム——科学と哲学

政策科学の巨匠たちの理論的土台として、政策科学を創始したラスウェル、政策決定の最適モデルとメタ合理性を強調したイェヘツケル・ドロア、予測と企画で政策科学のモデルを作成したエーリヒ・ヤンチュ、政策科学を実践的理性に基づかせたチャールズ・アンダーソンなどを中心に政策科学パラダイムを見て来た。

次に政策科学のパラダイムを実際に政策現象に適用した様々な形態の現代政策モデルの中、政策決定モデルを提唱したグレアム・T・アリソン、政策拡散モデルを提示したベリー夫婦、政策分析モデルのダン、政策の流れモデルのキングダン、政策唱道連合モデルのサバティエ、社会的構成モデルのイングラムとシュナイダー、ガバナンス・モデルのガイ・ピーターズ、ニュー・ガバナンス・モデルのヨン・ピエールやクイマン（Kooiman）など、政策科学界の巨匠の理論も概観した。

これらの政策科学の主要な理論と主張を次に要約することにしたい。

政策科学パラダイムの基礎——ラスウェル、ドロア、ヤンチュ、アンダーソン

ラスウェルは政策科学の創始者である。したがって、ラスウェルを除いては政策科学を論議することはできない。

ラスウェルは一九五一年、「Policy Orientation」という論文で人間の尊厳性の実現のための政策の重要性を力説し、このような政策を研究する学問を「民主主義の政策科学」と呼んだ。「政策科学の歴史は二〇〇〇年を超え、ギリシア・ローマ時代にも存在したが、当時の政策科学は帝王一人の統治のための政策科学であったとすれば、一九五一年以降の民主主義の政策科学は人類普遍のための政策科学でなければならない」と主張した。

政策科学が人類普遍の人間の尊厳の実現という目標を実現するためには、「政策過程（Of The Process）」と「政策内容（In The Process）」の完成度を高めるべきであり、このような「政策指向性（Policy Orientation）」の完成度を高めるために必要な知識を提供することが政策科学の目的であるとした。そしてこのためには問題志向性、文脈志向性、学際性という三つのアプローチを基に政策科学パラダイムを構成しなければならないと主張した。

ラスウェルの弟子のドロアは、一九七〇の彼の記念碑的な論文、「Prolegomena to Policy Sciences」で政策科学の目的は政策決定体系に対する理解を深め、これを改善することであると述べた。また、政策研究の焦点は、（1）政策分析（Policy analysis）、（2）政策戦略（Policy Strategy）、（3）政策設計（Policy Making System Redesign）にあるとしながら、政策の未来志向的戦略研究の重要性を強調した。また、政府は官僚のメタ合理性の増進のため、直観の活用、価値判断、創意的思考、ブレーンストーミング（brainstorming）によるメタ合理的な（Superrational）アイディアまで考慮した教育訓練が必要である点を強調した。

ラスウェルのもう一人の弟子のヤンチュ（Jantsch）にとって、未来という話題はますます重要になる。一九七〇は、ヤンチュはその革新的な論文、「From Forecasting and Planning to Policy Sciences」で、未来予測と政策企画が政策研究において核心的な役割を果たすべきであると主張し、管理科学やシステム分析ではない政策分析は、国家の未来を展望し、企画し、設計する国家の最上位レベルの価値創造的行為であることを明らかにした（Jantsch, 1970: 33-37）。

アンダーソンは、政策科学が追求すべき理性として第三の理性、すなわち実践的理性を提示した。彼は人間行為の理性を説明する三つの枠組み、すなわち（1）功利主義的経済モデル、（2）自由主義的政治モデル、（3）実践的理性に基づいた熟議民主主義モデルを示した。第一の理性としての功利主義的経済モデルと第二の理性としての自由主義的政治モデルのみでは限界があると主張し、実践的理性に基づいた熟議モデルこそ民主主義の政策科学を実現する重要な政策分析モデルになるべきだと強調した（權祈憲 2007: 198）。これは経済学的効率性、政治学的民主性を超え、第三の理念が必要だという洞察を示している。

アリソンの政策決定モデルとダンの政策分析モデル

アリソンは政策決定モデルの転機を作った。既存の経済学者たちが主張していた合理的行為者のモデルを超えて、組織と政府のモデル、官僚政治のモデルを提示することで、〔政策アクターとしての〕個人、組織、〔官僚〕政治を統合した政策決定モデルを提示したのである。

アリソンは概念的枠組みやレンズを変えれば、世の中が明らかに違って見えて来るという点を証明しようとし、三つの政策決定モデルを示した。既存の国家行為者を単体で見る視角を超え、国家行為者をより細分化して、政府組織の結合体、政治アクターの戦略的連合による決定モデルを提示することになった。それが有名なアリソンⅠ、Ⅱ、Ⅲモデルである。

アリソン・モデルは、合理的行為者モデル、組織過程モデル、官僚政治モデルの三つから構成されている。合理的行為者モデル（Model I）は、政府をよく調整された有機体とみなし、組織過程モデル（Model II）は、政府の半独立的な下位組織が緩やかに結びついている集合体とみなし、官僚政治モデル（Model III）は、互いに独立した政治的参加者の個別集合体である、と捉えられている。

アリソンの問題関心を介して、我々は、政策現象を分析するには、単一のレンズではなく、いくつかのレンズが存在するということを学ぶことができた。合理的行為者モデルは、一国が直面している状況に対抗国が一つの戦略的選択をするという観点では魅力があるが、これは政府組織の間の力学関係（Organizational Process）とか大統領周辺の高位の政治行為者間の高度の政治的ゲーム（Political Game）を考慮していない欠点があることを明確にしたという点で、アリソンの貢献は大きいと言える。

ダンも政策分析モデルの分岐点を作った。彼は「未来」という視点を政策分析に導入して、独創的な理論を示す一方で、「望ましい改善点」と「実現性」という二つの基準に基づいて政策分析が行われることを明らかにした。つまり効果性、能率性、対応性、衡平性、適正性、適合性で構成された望ましい改善点と政治的実現可能性、経済的実現可能性、社会的実現可能性、法的実現可能性、行政的実現可能性、技術的実現可能性から構成された実現可能性が六：四の割合で、総合的に測定されなければならないという点を提示した。

政策分析に「未来」という観点を導入して、時間の軸を設定したという点も非常に重要な貢献である。時間の軸を説明する際に、将来の研究でよく引用されるのが『未来という錐状態』「Futures Cone」である。なお、上のダンの政策モデルの説明のところでは紹介していなかったので、ここでダンの政策モデルの説明を補足する意味で紹介しておきたいと思う。

「Futures Cone」が説明しようとするのは、現在および将来の時間的距離に応じて不確実性が大きくなることを示すことである。また、過去の不確実性が現在の不確実性よりも大きいという点を示している。

ダンの政策科学的貢献の一つは、これらの時間の軸を政策分析に導入して統合的な枠組みを提示したという点を挙げることができる。

ダンは、過去、現在、未来の類型を潜在的（Potential）、蓋然的（Plausible）は、規範的（Normative）に区分す

図表 1　Futures Cone の概念図

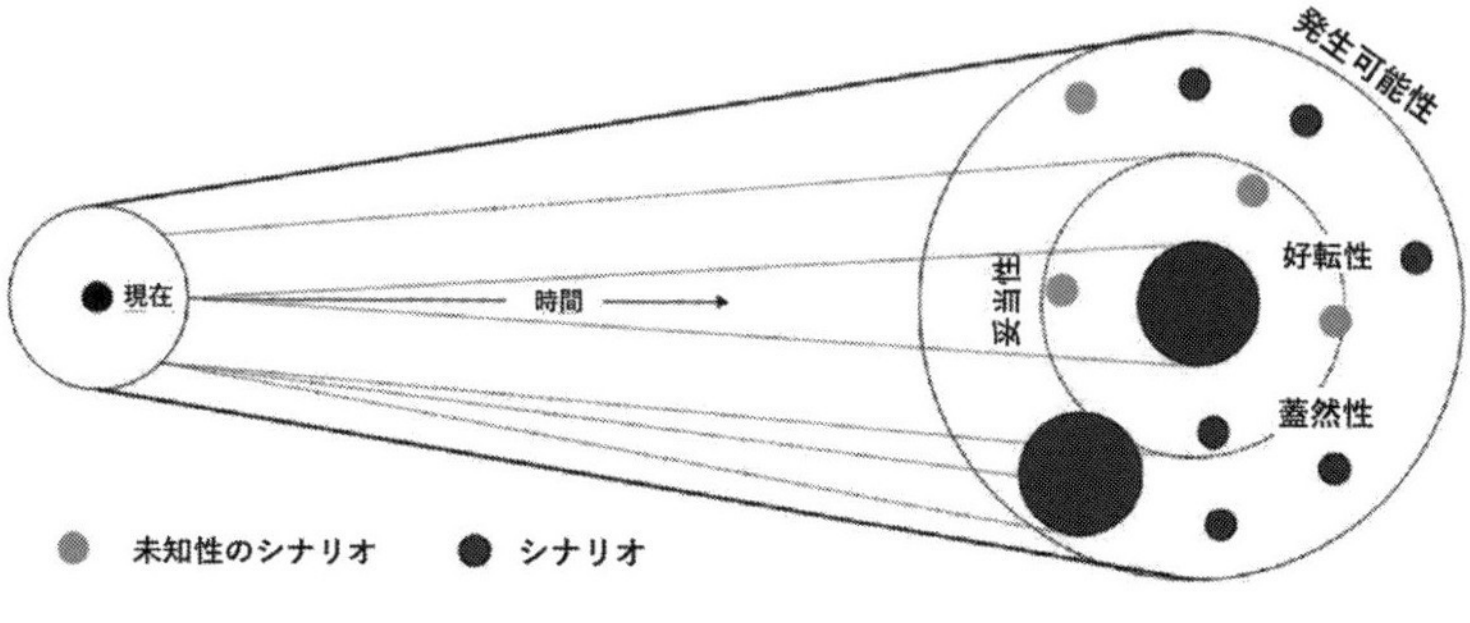

* 資料: ユン・ギヨン、 2017

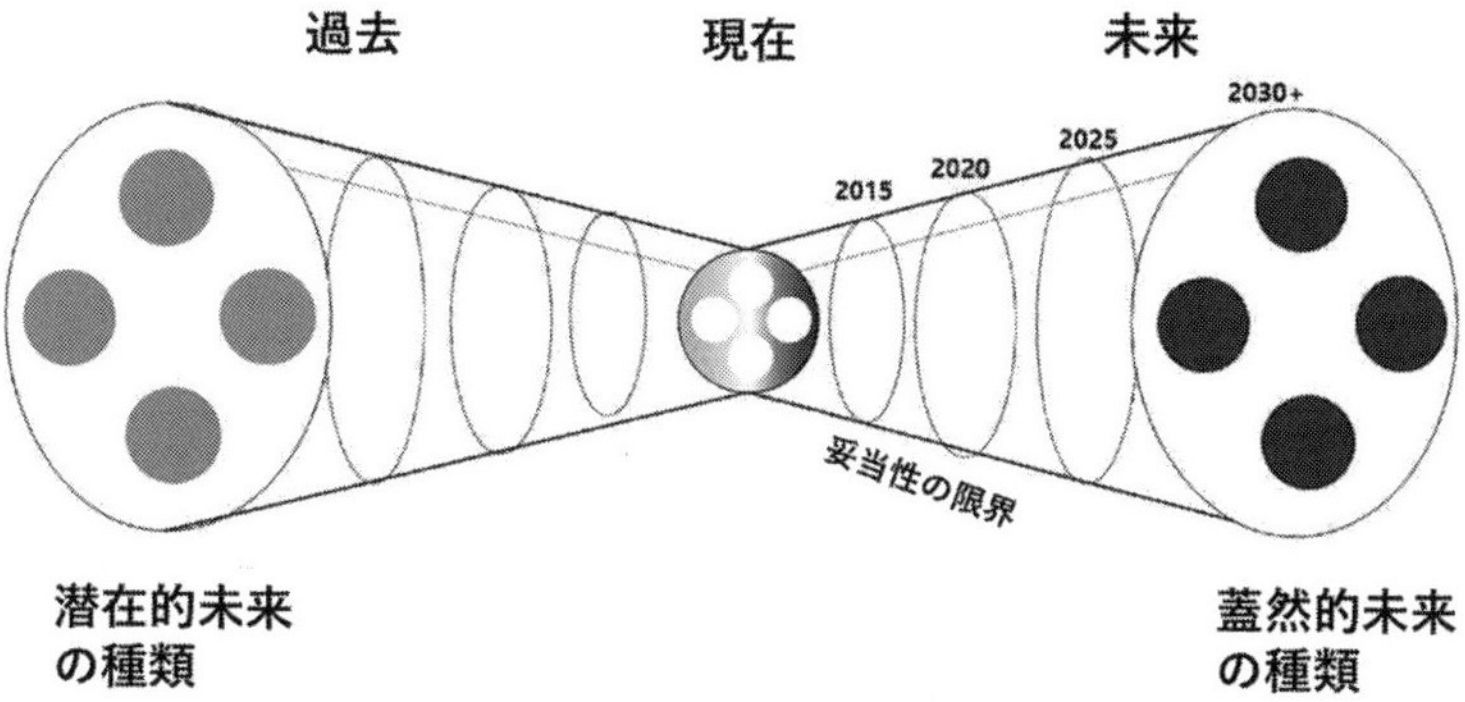

* 資料: Jarvis、2012

図表2　未来の三種類の類型――潜在的、蓋然的、規範的未来

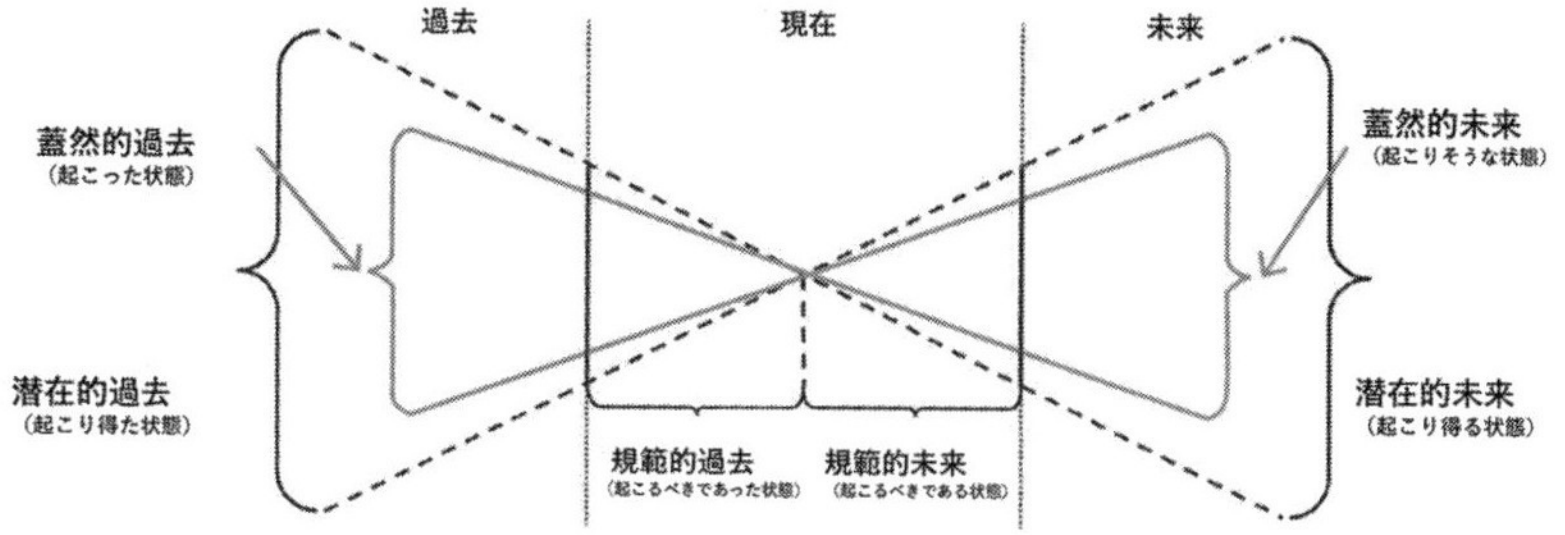

＊ 資料：William N. Dunn, 1994: p. 238.

図表3　統合的政策分析――ウィリアム・ダン

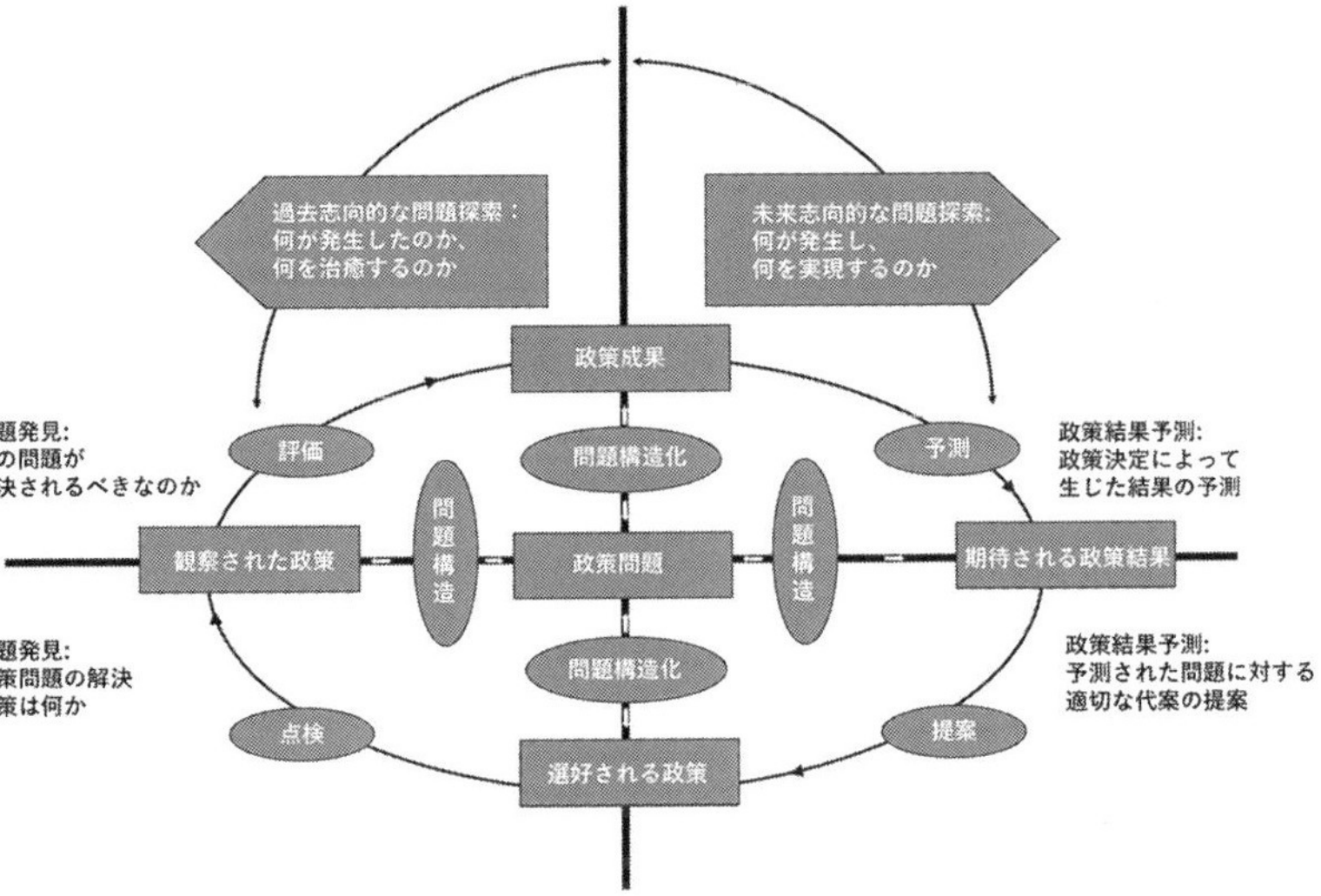

＊ 資料：William N.Dunn 2008: 4-14を修正した。

る。潜在的未来というのは予測時点で起こることもあると思われる将来の可能な状態を意味する。多くの将来の代案（Alternative future）中、将来の状態として起こることもあり、起こらないこともある、将来の可能な状態を意味する。実際に起こることは、数多くの将来の対案の中で一つだけが起こるのである。

蓋然的未来は、自然と社会が持つ本質的な因果関係によって実際に起こる未来の可能な状態を意味する。つまり、今後起こり得る最も蓋然性が高い未来をいう。規範的未来は、政策の要求と期待によって最も望ましく価値のあるように思われる理想的な未来の状態を意味する。

上の図表に示すように、政策分析は、過去志向的な問題探索のみならず、未来志向的な問題探索が必要であり、これらの時間の軸は、政策問題を中心部（Core）から問題構造（Framing）を作る上で重要に作用する。ダンが提示したこれらの問題構造化作業は、期待される政策の結果と推奨される政策の結果との間の間隙に影響を及ぼし、予測されて提案された政策は、点検によって評価される。期待される政策、選好される政策、観察された政策は、総合的に政策分析に影響を及ぼしているのである。このように、ダンのもう一つの政策的貢献は、政策分析の統合的枠組みを提示したという点を挙げることができる。

ベリー夫妻の政策革新モデル

政策の核心は革新と拡散にある。ベリー夫妻は、政策革新と拡散に問題解決の焦点を当てて研究した学者である。彼らは、これまでの政策革新研究は、行為者個人の動機付けと自治体内部の政治的、経済的、社会的特性にのみ偏っているという点を発見し、他の自治体革新の模倣による拡散効果〔の研究〕が欠如していると主張した。彼らはこの主張の延長線上で、政策革新と拡散は、政策革新の模倣効果によって、時間軸でS字カーブの形を描きながら進んでいることを明らかにした。

同時に地域的拡散モデルと州間相互作用モデルを提示する一方、州の次元で革新の一般モデルを提示した。

革新導入（ADOPT）i, t

= f（動機付与（MOTIVATION）i, t, 資源と障害要因（RESOURCES/OBSTACLES）i, t,

他の地方自治体の政策（OTHER POLICIES）i, t,

模倣効果（EXTERNAL）i, t

政策革新の一般モデルは、地方自治体が有する動機、資源と障害要因、他の地方自治体の政策、模倣効果などを総合して、一つの地方自治体が特定時点に有するようになる政策革新と拡散効果を測定したものである。

ベリー夫妻の研究は、政策革新と拡散モデルに大きく貢献した。

図表4　政策革新の拡散

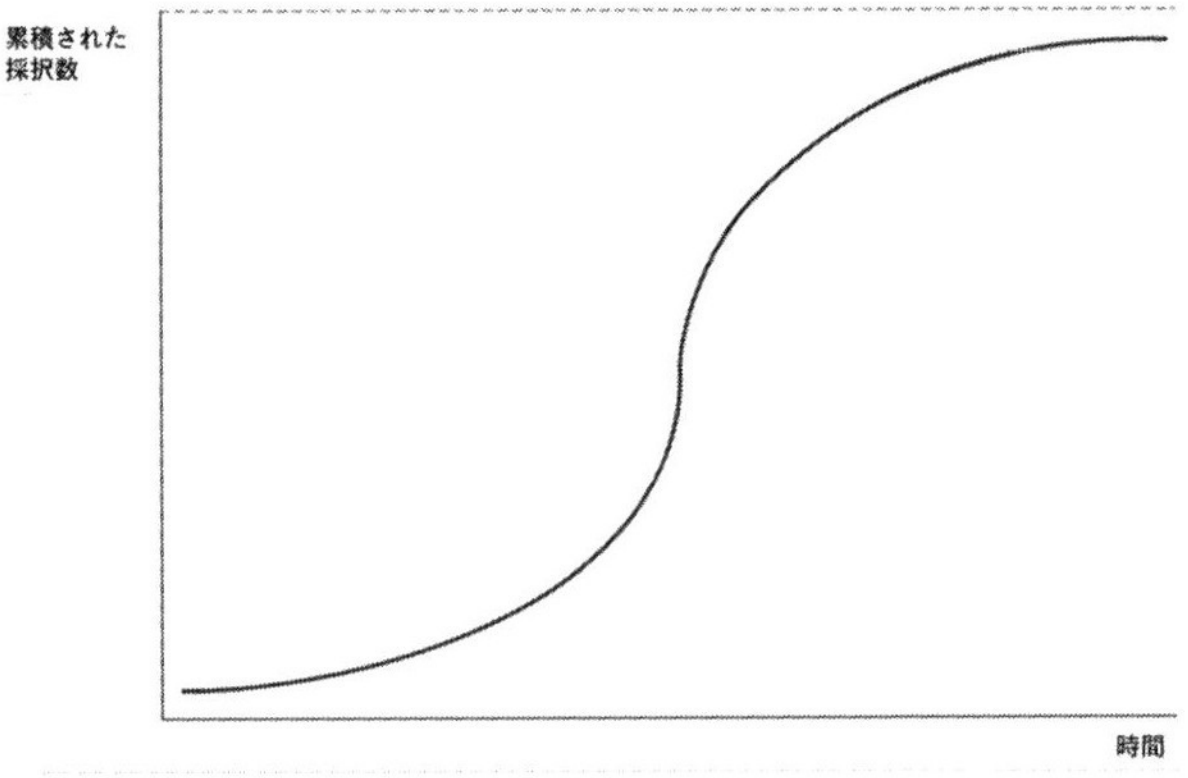

＊ 資料：Berry & Berry（1999: 174）から引用。

政策は決定を通じて新しい革新が導入され、革新は拡散を通じて共有されなければならない。特にベリー・モデルは、地方自治体〔の政策〕革新研究において他の地方自治体の政策革新の模倣効果を考慮することにより、政策革新研究の分岐点を作ったものと評価されている。

キングダンとサバティエの現代政策モデル

キングダンは議題設定、政策決定、政策変動において、革新的な貢献をした。元来、彼の研究は、議題設定理論に焦点を合わせていた。ある争点は、政策議題に設定され、ある争点は放置されるというテーマを研究するに当たり、彼は、既存の「ゴミ箱」モデルを修正しながら、新しい「政策の流れモデル」を生み出した。

一方、彼は後ほど提示するサバティエもそうであったが、ラスウェルが主張した単線的政策モデルに反対した。すなわち、政策議題が設定され、政策が決定され、執行され、評価されるなど、順次進行するという線形的モデルに反対したのである。むしろ政策の問題は、問題だけで流れ、政策解決策は選択肢だけで流れ、政治は政治だけで独立して流れ、劇的事件（Dramatic event）と政治事件（Political event）など焦点となる出来事（Focus event）が起き、

図表5　キングダン（Kingdon）の政策流れのモデル

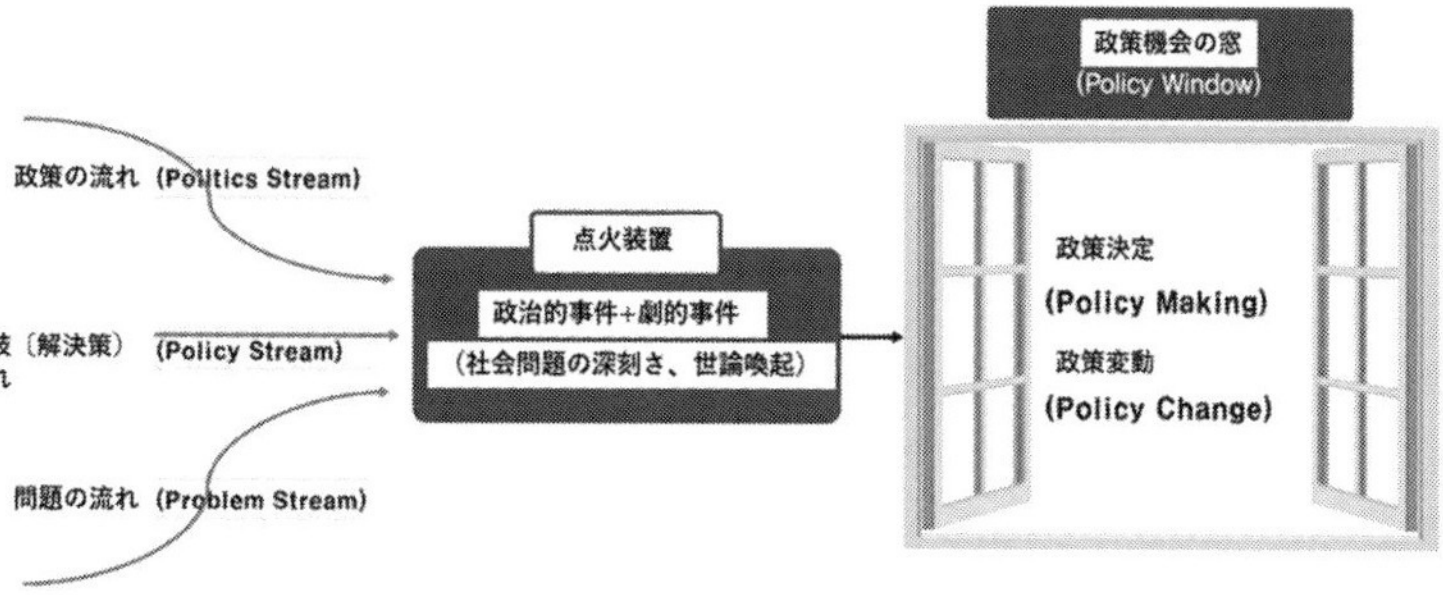

この三つの流れが合流する（Coupling）のである。この時、政策の「機会の窓（Opportunity Window）」が開かれるようになる。

現代政策モデルの中で最も影響力のあるモデルを二つ挙げるとするなら、キングダン・モデルとサバティエ・モデルであろう。その理由は、キングダン・モデルは、現代社会に大きな災害を含む劇的な事件が頻繁に発生するからであり、サバティエ・モデルは、現代社会では、利害関係において陣営論理が頻繁に発生するためである。

キングダンの政策流れのモデルから見てみよう。

海外の例を見るなら、フランスのニース海岸の爆弾テロ事件、アメリカ同時多発テロ（9・11）による世界貿易センターの崩壊、日本の福島原発の爆発、こうした驚くべき事件は一瞬も地球村をそっとしておかないのである。

このように、政策問題が流れ、解決策が流れ、また、政治は政治の論理に従って独立して流れているが、劇的事件などが起こり、新しい政策過程が出現する現象を説明するのがキングダン・モデルである。

サバティエ・モデルも広範囲に渡って応用されるモデルである。現代社会は、様々な階層間、理念間の葛藤によって政策を見る見解が対立する場合が多いが、この時、二つの対立する陣営間の政策変動をうまく説明できるモデルがサバティエの政策唱道連合モデルである。例えば、原発賛成グループと反対グループ、医薬分業における医師と薬剤師、現代の政策は陣営論理によって利害

図表6 サバティエ（Sabatier）の政策唱道連合モデル――概念図

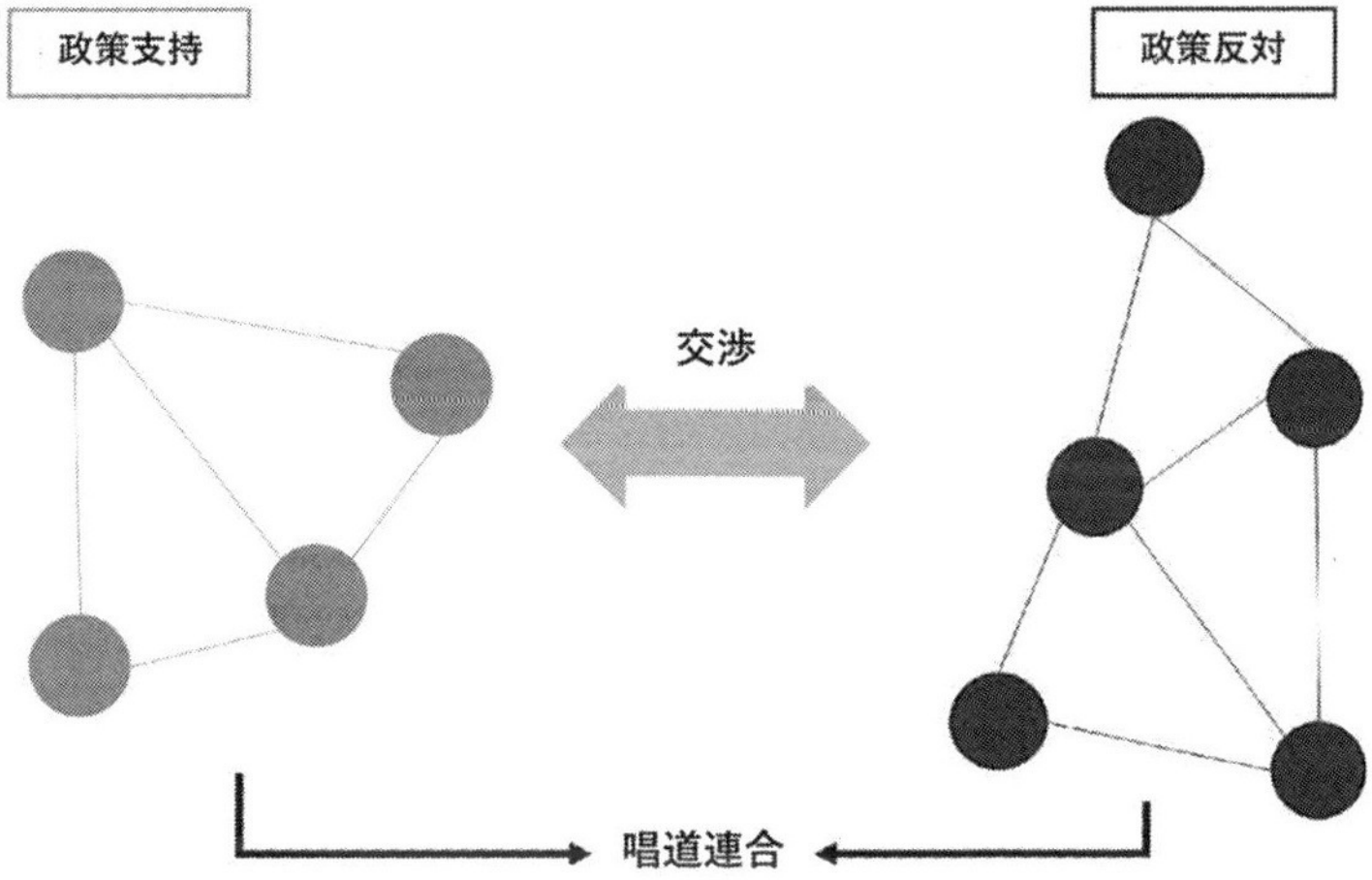

関係が分かれる。

政策決定と変動過程は、本質的に連合間のゲームと交渉過程である。従って、政策は、上の〈図表6〉に示すように、政策下位体系における利害集団間の力の作用によって決定され変動する。また、以上の説明を全体モデルで示すと図表7のようになる。

政策規制を受けて費用を支払うグループと、政策の恩恵を受けるグループは明暗が分かれる。また、保守と進歩間の対立をはじめ、世代間、階層間、地域間の葛藤により政策に対する見解も分かれるが、このような陣営間の対立を通じて政策が形成、あるいは変動する現象をサバティエ・モデルが良く説明している。

社会的構成モデル――イングラム、シュナイダー、ドレオン

社会的構成主義は、現実というのが社会の中で人々の関係によって形成されると信じることであり、人々の関係とその中で作られた現実の意味を解釈することに主眼を置いている。したがって、現実は我々の認識とかけ離れて存在するというよりは、我々がそれをどのように認識するかによって変わってくると言える。このような社会構成主義を政策科学と組み合わせると、政策対象集団の形成方法によって政策が変わり得る点に注目した政策モデ

図表7　サバティエ（Sabatier）の政策唱道連合モデル――全体モデル

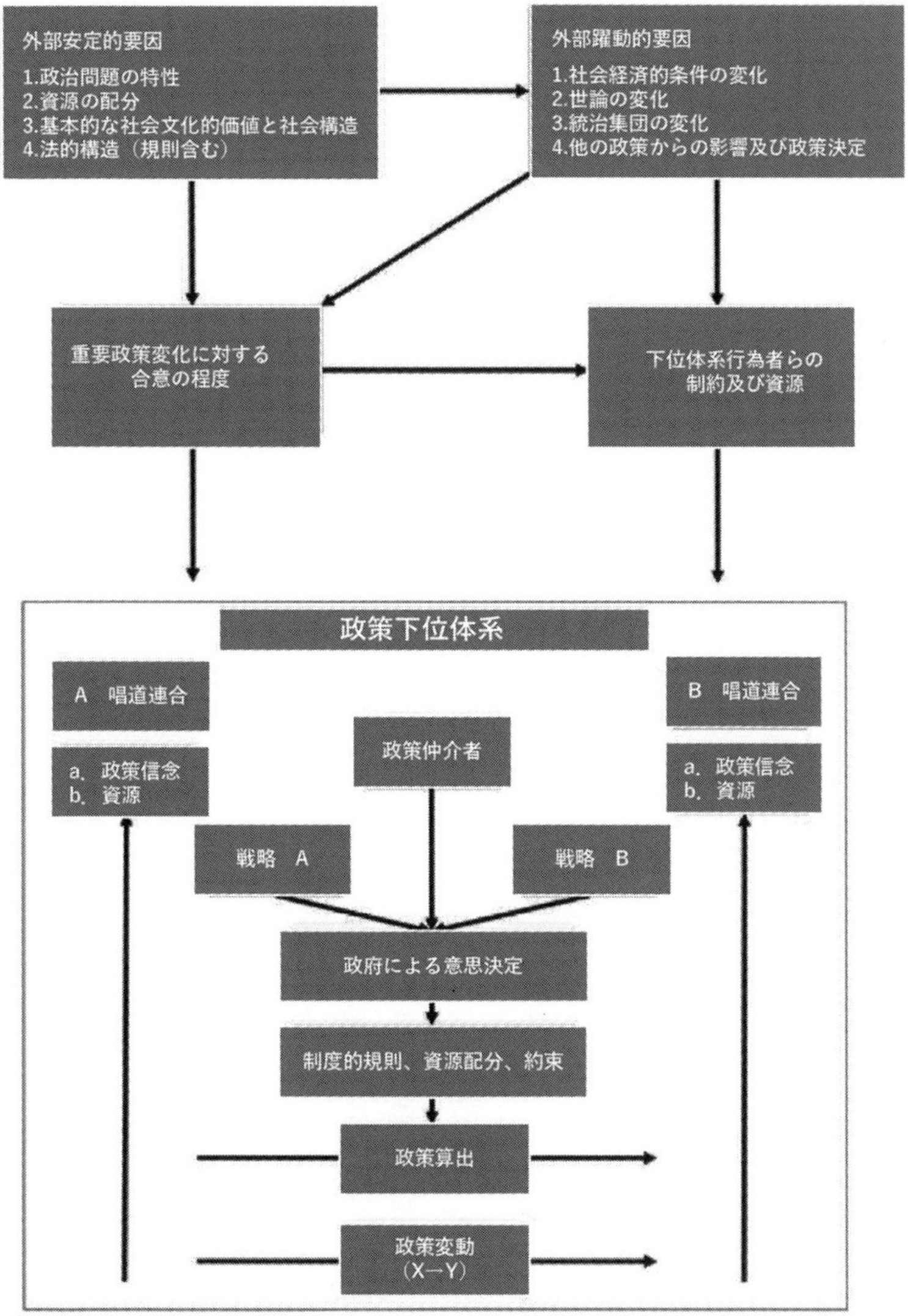

図表8　社会的構成（Social Construction）モデル

社会的形状　Social Image

政治的権力 Political Power		肯定的	否定的
	高い	受益集団 Advantaged	主張集団 Contenders
	低い	依存集団 Dependents	離脱集団 Deviants

＊ 資料：Ingram, Schneider & Deleon（2007: 102）

ルである（Schneider & Ingram 1993）。

このような観点から、イングラム、シュナイダー、ドレオンが提示した社会的構成モデルは、政治権力（Power）と社会形状（image）を中心に、政策に対する観点、唱道程度などの政策受容（Policy acceptance）の違いがあることを説明したモデルである。

ニュー・ガバナンス・モデル——ピーターズとピエール、クイマン

ガバナンスの理論は、二〇世紀から二一世紀へと移行するに従って、グローバル化と情報化が急速に進む過程で登場するようになった新たな社会科学分野の理論である。「より小さな政府は、より多くのガバナンス」（Cleveland 1972）、「政府のないガバナンス」（Retters 1998）、「Government から Governance へ」のスローガンは、政府とガバナンスの関係を示すものである。

ガバナンス概念の登場の裏面には、従来の国民国家中心の統治体制の弱体化という背景がある。国家中心の統治能力が弱まり、統治要求の高まる中で、新しい概念として現れたのがガバナンスである（Kooiman 1993）。

含意および示唆点——政策科学とニュー・ガバナンス

多元化、複雑化していく現代社会の政策過程で、利害集団の声は次第に大

きくなっている。ガバナンス理論の成立以前、政策失敗の原因は政府内部の問題と認識され、トップダウン型の政策決定が主流となった。しかし、ガバナンス理論の登場は、政策過程が国家（政府）の範囲を超えて社会全体に広がる基礎を作り出しているところであり、国家中心、市場中心ガバナンスを超えて市民社会ガバナンスの概念を含めたニュー・ガバナンスは非常に重要な意味を持っているものである。

政策科学パラダイムの拡張（Ⅰ）

政策科学と未来予測

学問とは本来、社会問題を解決するために様々な形態の分析的枠組み、つまりモデルを構成し、このようなモデルを使って社会問題を説明しようとする。「学者たちは多様な政策モデルと学問レンズを通じて社会問題を解決しようとする」。それぞれの時代が抱える問題は異なり、解決しようとする問題の性格も異なるが、学問的レンズを通じて社会現象を説明し予測しようとする点では同じである。

現代社会は変化と速度、不確実性と曖昧性で特徴づけられる。このような現代社会における根本的な政策問題は、多分に「手に負えない危険極まりない諸問題（Wicked problem）」の性格を持ち、多くの省庁が連携して取り組まなくてはならない「メタ問題（Mega problem）」の特性を持つ。

このような複合的問題を解決するために、政策科学は学問的なアプローチを必要とするが、本書では未来予測、第四次産業革命、前向きの心構えという三つの理論軸（pillars）を借りて説明する。未来予測と第四次産業革命という新しい波を提唱した大家らの声を聞く一方、超葛藤社会と呼ばれる現代社会の葛藤と不安心理を静める、前向きの心構えの資産（positive psychology capital）を向上させる〔統合的リーダーシップの〕理論的土台を借りようとした。

未来予測では、未来学を創始したハワイ大学のジム・デイター、ユネスコで未来学議長として大活躍中のジム・デイター教授の弟子ソーヘル・イナーヤトゥッラー（Sohail Inayatullah）、グーグルの取締役でありながら『シンギュラリティーが来る』の著者として有名なレイ・カーツワイルらの知恵を借り、第四次産業革命では新しい議論を世界的に広めたダボスフォーラムのクラウス・シュワブ会長、『労働の終わり』、『限界費用ゼロ社会』でよく知られているジェレミー・リフキンの声を聞いてみたい。

政策科学と未来予測

政策科学と未来予測は極めて密接な関係にある。これまで未来予測が政策研究という観点から集中的に照明を浴びることはなかったが、今後は未来予測と政策研究の有機的関係について集中的に探求する必要がある。

まず、未来予測と政策研究は未来という時間の軸と、政策という空間の軸とは相互補完的な関係にあるため、非常に深い語源的関連性を持っている。それだけでなく、政策科学の核心は、未来に対する想像力を基に未来価値を実現させることにある。政策は未来があってこそ、政策の未来志向的探索が可能になり、国家の未来志向的価値を描きながら最適解決策を形成し、執行していく学問が政策科学である。

未来研究は時間と最も密接に連繫された学問である。時間は一つの存在領域であり、場所、文脈、観察者とつながっている連続体であり、時間は人間の時間に対する知覚によって表現されるときに普遍的に使われる。政策領域も時間と多くの相関関係がある。政策は静態的でない。時間の経過とともに政策をめぐる環境が変化し、政策の内容自体も変容し、ある政策とそれとは異なる政策との関係も変化することが多い。だからこそ、より良い未来を形成していくためには、政策研究と未来予測の密接な関係を念頭に置かなければならないのである。ラスウェルからドロア、ヤンチュなどに引き継がれた政策科学の創始者たちにとっても、既に未来と政策は不可分の関係にあり、彼らは特に政策科学研究方法論として未来予測を強調した。

未来予測の創始者——ジム・デイター

未来予測はハワイ大学のジム・デイター教授が未来学を創始し、さらに全盛期を迎えることになる。政策科学の父がラスウェルであるなら、ジム・デイターはさしずめ未来学の父と言えよう。彼は一九六七年にアルビン・トフラー（Alvin Toffler）と共に未来協会を設立し、同年には最初の未来学の講義を行った。ジム・デイターは一九七〇年代から電子メールを使用し、ロボットの「権利章典」を作成する過程で誰よりも早く未来を予測したが、「未来を持って商売をしない」という信念の下、四〇年以上にわたり未来学の研究を学問的に進めてきたことでも定評がある。また、未来予測は未来を予言することではなく、多様な未来を展望することであり、未来学は「知的遺産の産物というより、これからある知的観点の先駆者にならなければならない」と主張した。

未来予測と「シンギュラリティー」の主唱者、死の変曲点——レイ・カーツワイル

グーグルは宇宙人を拉致して彼らが持っている技術を盗み出しているのではないかという話が出るほど、毎回驚くべき新技術を世に出している会社だが、その中心にはグーグルの未来学者レイ・カーツワイルがいる。つまり、先端技術の先鋒に立つグーグルのエンジニアリング理事である彼は、科学者の間では「二一世紀のエジソン」と呼ばれるほど賢い発明家である。

ニューヨーク・タイムズのベストセラーに選ばれた『シンギュラリティーが来る』で彼は、技術は幾何級数的に発展するという「収穫加速の法則」を主張した。収穫加速の法則の具体的内容は、（1）技術の発展は線形的ではなく、幾何級数的である、（2）幾何級数的増大が最初の予測を超える属性を持つというもので、彼は一〇年ごとに技術発展の割合は倍加すると主張した。

彼が予測した発言は驚くほど実現されているが、代表的なものとしては「二〇〇〇年、ほぼ全ての人がインターネットを使用し、二〇〇九年、スマートフォンが大衆化する」という主張が挙げられる。さらに彼は、「二〇二〇年には拡張現実（ホログラム）が大衆化し、二〇三〇年には仮想現実（マトリックス）が大衆化する」と予測しながら、「二〇四〇年にはナノマシンの普遍化により人間の身体を変えられる世の中になり、二〇四五年には人間は死なない」と予測した。この時になると、「年を取っている人を若返らせたり、記憶を初期化することができ、不意の事故で死んでも、アップロードした記憶をロードして『蘇生』させることができる」と主張した。

レイ・カーツワイルは「シンギュラリティー」を次のように定義している。「人間の思考能力では予想できないほど画期的に発達したものが具現化され、人間を超越する瞬間」ということである。技術の発展は普通、目立たないように増加し、ある時点になると（曲線の変曲点に達すると）爆発的に増加し、完全に違う形の変化をもたらす。このような仕組みでは、過去の形態というものが大きな意味を持たなくなり、変化を認識する頃にはすでに新しい変化が始まり、技術の進歩に追いつけず淘汰されてしまう。

彼は、このような方式で、二〇四五年になると人工知能AＩが全ての人間の知能を合わせたものより強力になると予測した。すなわち、二〇四五年になれば、ナノ工学、ロボット工学、生命工学の発展のおかげで、人間の寿命を無限に延ばすことができるようになり、人間を凌駕する知能を持った人工知能が登場するだろうというのである。

レイ・カーツワイルは、死と永生に関しても独特の観点を持っている。死なないために毎日一〇〇錠程度の錠剤を摂取しているという。それは自分の身体にぴったり合うように作られており、年間数億円の費用がかかるという。永生のための献立を組んで食べることもあるが、そのためか、六九歳の彼が四〇代の身体であると測定されるという。また、彼は人体冷凍保存術（CRYONIC）会社であるアルコア生命延長財団に加入している。「私が死んだら、ガラスからできた窒素の中に浸流された状態で保存されるだろう。未来の医療技術は私の臓器組織を復活させることができるだろう」と期待を寄せているという。

また、以下のような生命観を述べている。「歴史的に見て、人間が短い生物学的人生を超えて生き残る方法は、未来の世代に自分の価値、信念、知識を伝授することであった。しかし、今や我々の存在の根幹をなす複数のパターンを保全する新たな方法が現れ、パラダイム転換の時期に来ている。生命工学とナノ技術革命が全面的に広がれば、事実上すべての医学的死亡原因を克服することができる。「自分をバックアップ」でき、知識、技術、人物の主要なパターン、そうすれば私たちが知る限り、すべての死亡原因がすべて意味を失うだろう」と（レイ・カーツワイル 2005: 445）。

政策科学パラダイムの拡張（Ⅱ）

政策科学と第四次産業革命

限界費用ゼロ社会――ジェレミー・リフキン

ジェレミー・リフキンはアメリカの世界的な経済学者であり、文明批評家としてよく知られており、「行動する未来学者」と呼ばれる。彼の著書『労働の終わり』（2005）では、第四次産業革命による人類の労働からの疎外、労働からの追放という暗鬱な未来の可能性が述べられている。この問題を解決するために、リフキンは、労働時間の短縮と機械の活用の拡大や、代替できない第三部門の職業創出を解決策として提示しているが、一方では「労働の終末」が新しい社会変革と人間精神の再生の信号であり得ると主張した。

また別の著書『第三次産業革命』（2012）では、エネルギー源とコミュニケーション方式の変化を基準に二一世紀は第三次産業革命に分類されているが、これは事実上今日の第四次産業革命を意味するものである。すなわち、情報技術（ＩＴ）と新再生エネルギーを利用して作られた自動化された生産体系になった時代を意味し、特に新再生エネルギーが無料になる時代、物質商品が消えて、デジタル商品がサービスを行う時代に転換すると主張した。また、『限界費用ゼロ社会』（2014）では、第四次産業革命時代には超強力な技術革命が発生することで限界費用が事実上ゼロに近づくと主張し、新たな経済システムである「協力的共有社会《コモンズ》」と「限界費用ゼロ社会」への転換が必要であると主張した。彼は、このような水平的・分散的共有経済の下では、協業とともに共有経済に合致する「公正な制度」を設計すべきであり、このすべてのゲームの法則は人間の尊厳性の増大に焦点を当てなければならないと主張した。

第四次産業革命の創始者——クラウス・シュワブ

第四次産業革命の発端は二〇一六年一月二〇日に開催されたダボス・フォーラムである。ダボス・フォーラムのクラウス・シュワブ会長は、このフォーラムで「第四次産業革命の解明」をテーマに、グローバル経済危機の解決策として第四次産業革命の意義と必要性、進むべき方向性について議論した。

第四次産業革命の主な特徴は超連結性、超知能性、超予測性として要約できる。クラウス・シュワブ会長は「第四次産業革命――その意味と対応策（The fourth industrial revolution: what it means, how to respond）」というダボス・フォーラムの基調演説で、第四次産業革命は第三次産業革命の延長線上にあるが、技術発展の速度と範囲、そして全システム的衝撃という三つの側面において過去の産業革命とは比較できない文化革命であると語っている。〔第四次産業革命は〕津波のように、あるいはヒマラヤのなだれ（Avalanche）のように、幾何級数的な速度で変化をもたらしており、その範囲もまた数多くの分野にまたがり、根本的な変化を同時多発的に発生させている。

風は感じられるが、手でつかむことはできない。第四次産業革命も風のようである。実体を見たり触れることはできないが、感じることはできる。私たちはすでに第四次産業革命の中心にあり、この風に乗る国だけが未来を先導できるのである。

第四次産業革命と政府モデル

政府は単に最先端技術だけに優先順位を置いてはならない。最終目標を国民の生活の質の向上、人間らしい生活の向上など人間中心に置くべきである。技術の発展は、機敏な社会問題の解決と人間のための技術に生まれ変わる一つの過程と見なければならず、究極的には人間の尊厳性を目指す科学行政として発展していかなければならないのである。

特に韓国は、韓国型第四次産業革命の必要性と重要性に対する認識が共有されなければならない。第四次産業革命がもたらす社会変化とそれによって発生する問題点を克服するための政策的努力が必要であり、様々な海外の事例をベンチ・マーキングして韓国の現実に最も適合した韓国型第四次産業革命モデルを確立し、発展させなければならない。

さらに、どのような（What）影響を与えるかに焦点を合わせることから離れ、どのように（How）影響を及ぼすのかについても、答えを探さなくてはならない。雇用喪失、先端技術の雇用代替による社会的不平等の加速化、これによるヒューマニズムの劣化などの否定的側面を克服し、いかに新成長動力を創出して適用するかについて我々の考えをめぐらす必要がある。今日の問題は、技術を発展させることで解決できる問題ではない。社会的合意と意識の変化が技術発展に劣らず重要な課題である。

政策科学のパラダイムの実現——政策科学と統合のリーダーシップ

統合と包容のリーダーシップ——人はなぜ争うのか。

◉人はなぜ争うのか。

力（意志）の衝突である。力（意志）を通じて相手に勝つために少しも退かず、張り詰めた状況を作る。このような状況を通じて社会的葛藤が生じ、社会的葛藤問題で満ちた社会が超葛藤社会である。このような超葛藤社会を経験している国はどこだろうか。遠い所から探す必要はない。まさにほかならぬ韓国の状況こそがそうである。政派間、階層間、労使間、世代間、地域間、南北間の安保葛藤など枚挙に暇がないぐらいである。

従来は、このような問題を解決するために、力に依存した強圧的な解決方式を志向していた。例えば、幼稚園でも子供同士で喧嘩が始まると、先生が出てきて喧嘩を仲裁し解決する。これと同様に、企業間の争いが起これば、政府機関が仲裁し、国家間の争いが起これば、国際機関や戦争を通じて解決した。

今も似たような側面はあるが、こうした時代にニーチェは、「生きているすべてのものは力を求め、自分を強化し、高めようとするため、世界での闘争は避けられない」と見たのである。彼は「すべての世界で生きているものは自分の感覚的欲望を満たすためではなく、自分の力を確認し増大させるために戦う。この世はすべてが力を競い合う世界であり、ニーチェはこうした現実を冷静に認めることが重要である」と悟る（パク・チャングク『超人修業——私を越えて私に会う』21世紀ブックス、二〇一七、九三頁）。

しかし、このようなやり方は社会的資本を壊し、深刻な後遺症を生む。

◉もう少し持続可能で平和な解決策はないのだろうか。

アダム・カヘインはシナリオ「シンキング・プランニング」を提示する。実際、アダム・カヘインは一九九一年、南アフリカ共和国の白黒対立をシナリオ「シンキング・プランニング」で解決した。彼は南アフリカ共和国の未来の指導者と共にモンフレ・カンファレンスを主宰し、これを通じて南アフリカ共和国の和解と共存の道を導き出すのに成功した。彼はそうした経験をもとに『手に負えない難しい問題を解決する（Solving Tough Problems）統合のリーダーシップ』と『力と愛（Power and Love）の包容のリーダーシップ』を出版した。私たちはこの二冊を読んだら、統合と包容がなぜ重要なのか、そしてそのために、なぜ私たちは省察が必要なのかを知ることができる。

図表9　複雑な問題はどのように解決すべきか——発生原因

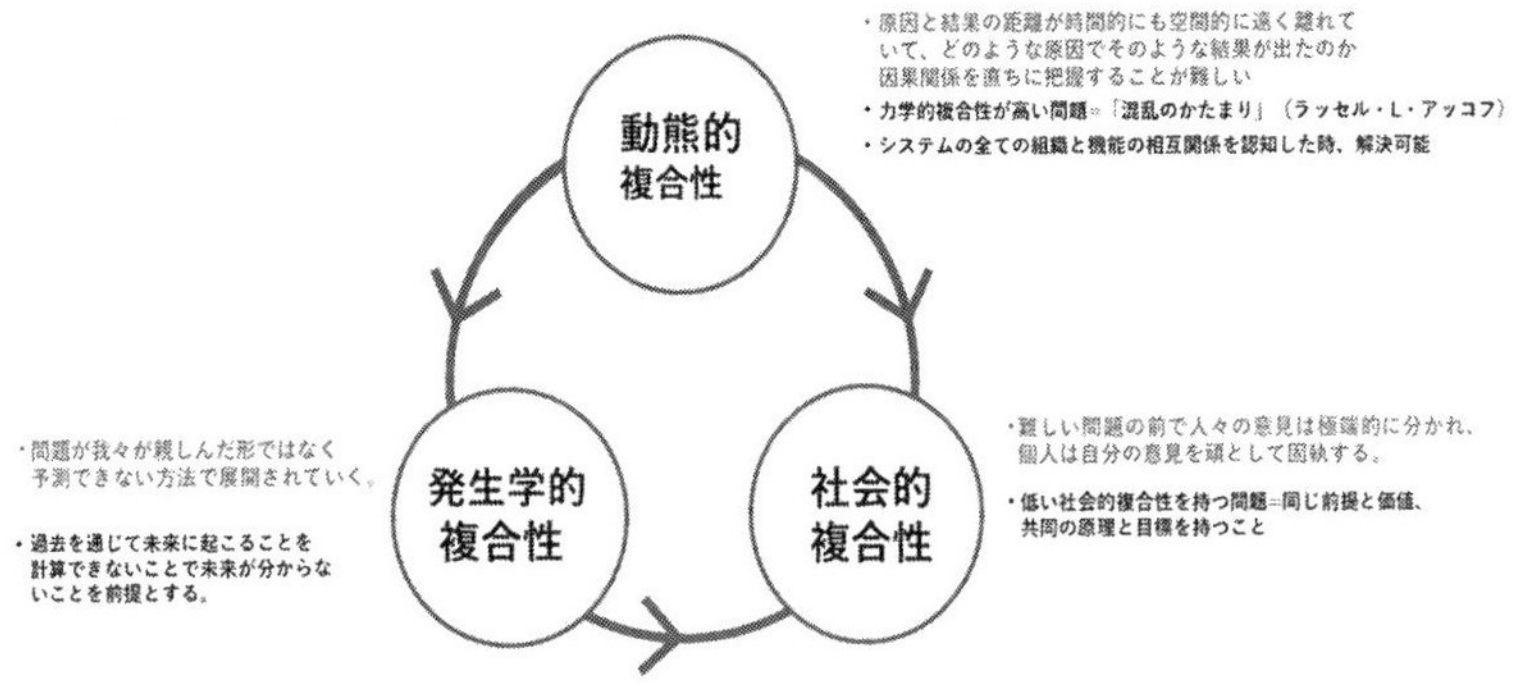
動態的複合性
・原因と結果の距離が時間的にも空間的に遠く離れていて、どのような原因でそのような結果が出たのか因果関係を直ちに把握することが難しい
・力学的複合性が高い問題＝「混乱のかたまり」（ラッセル・L・アッコフ）
・システムの全ての組織と機能の相互関係を認知した時、解決可能
発生学的複合性
・問題が我々が親しんだ形ではなく予測できない方法で展開されていく。
・過去を通じて未来に起こることを計算できないことで未来が分からないことを前提とする。
社会的複合性
・難しい問題の前で人々の意見は極端的に分かれ、個人は自分の意見を頑として固執する。
・低い社会的複合性を持つ問題＝同じ前提と価値、共同の原理と目標を持つこと

◉複雑な問題はなぜ発生するのか。

アダム・カヘインは複雑な問題の発生原因として、（1）動態的複合性、（2）発生学的複合性、（3）社会的複合性を挙げている。

第一に、動態的複合性は、原因と結果の距離が時間的にも空間的にも遠く離れていて、どのような原因でそのような結果が出たのか因果関係を直ちに把握することが難しい場合を言う。ラッセル・L・アッコフ（Russell L. Ackoff）はこうした問題を「混乱のかたまり」と呼んでいる。

第二に、発生学的複合性とは、問題が我々が親しんだ形ではなく、予測できない方法で展開されていく場合をいう。

第三に、社会学的複合性は難しい問題の前で人々の意見は極端に分かれ、個人は自分の意見に頑として固執する場合をいう。

現代の政策過程は、多様な利害関係者が異なる見解と利害関係を持って参加するなど、複雑性、多様性、不確実性を特徴とする。したがって、まさにこのような社会学的複合性により、互いに譲歩（解決）しにくい複雑な問題が発生するのである。これに因果関係の不明瞭な動態的

図表10　アダム・カヘインの平和実現公式——愛（共感）× 力（意志）

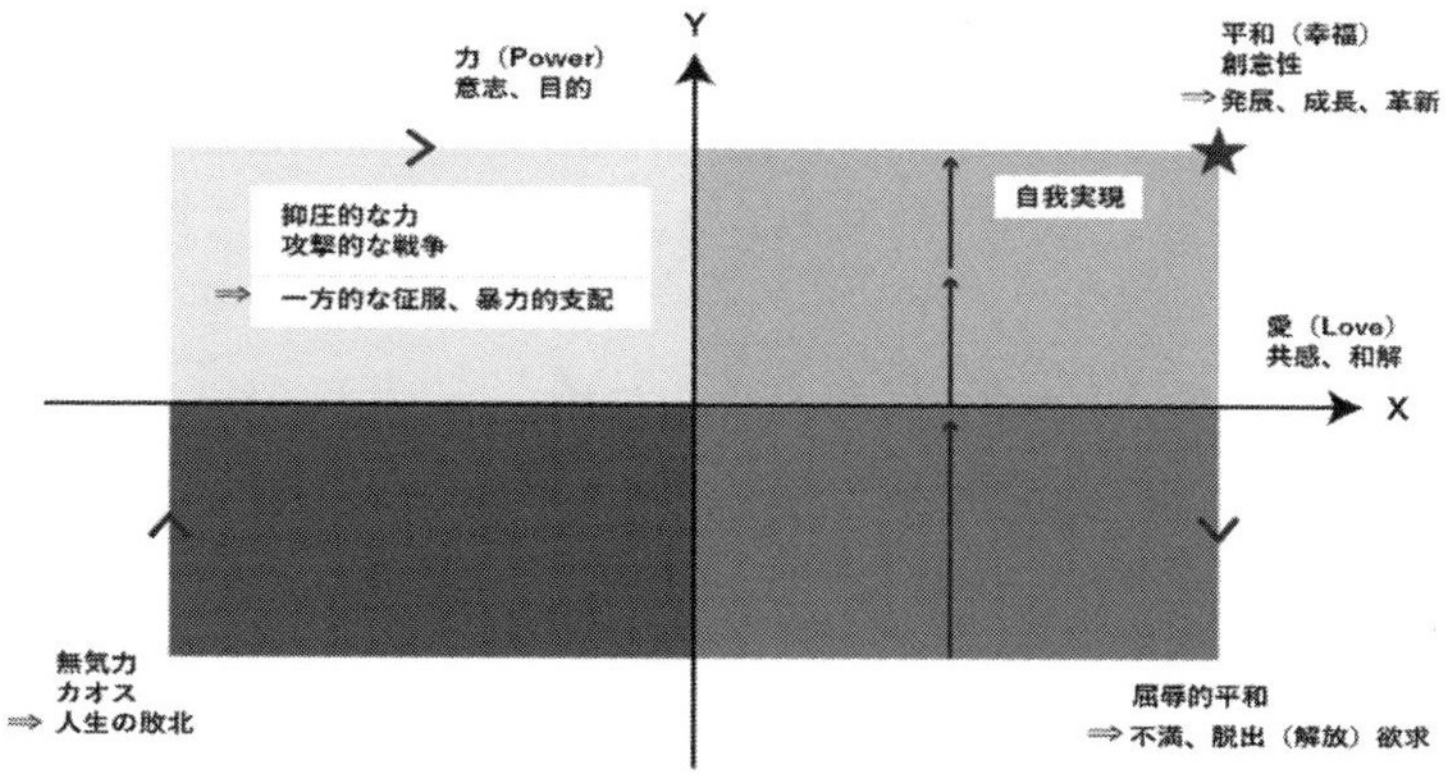

複合性や予測しがたい形の発生学的複合性が加われば、問題の解決はさらに複雑化し、社会はますます破局に突き進むことになる。

◉複雑な問題はどう解決できるだろうか。

アダム・カヘインは力（意志）と対称的な変因として愛（共感）を挙げている。力と意志は衝突するのは必至である。異なるものとの共存を行なわないのである。力と意志が衝突する時、誰か中立的な調整者がいて、統合と包容のリーダーシップを発揮しなければならない。

図表10で示すように、力のない愛は実際は無気力で屈従的な平和にすぎない。反対に愛のない力は暴力であるだけで、一方的な征服は持続可能ではない。ひとえに力（意志）で裏づけされた愛、あるいは愛で裏づけされた力（意志）のみが自我実現と創意性をもたらし、国際関係においても平和につながる。

ジョゼフ・ジャウォースキー（Joseph Jaworski）は彼の著書『同時性——リーダーシップの内面への道（Synchronicity: The Inner Path of Leadership）』で次のように語っている。

「もし個人と組織が一歩下がって状況を見守るか、あるいは一歩も譲らなければ平和はないだろう。その代わり、創意性を持ってシナリオ・

図表11　モンフレ・カンファレンスに参加した核心的関係者

右派系	・白人事業家 ・白人学者
左派系	・反政府集団アフリカ民族会議（ANC）指導者 ・急進的な汎アフリカ会議（PAC）指導者 ・鉱夫労組（The National Union of Mineworkers） ・アフリカ共産党（The South African Party）
黒人指導者	・ネルソン・マンデラ ・タボ・ムベキ(ネルソン・マンデラの次の大統領) ・聖公会大司教デズモンド・ムピロ・ツツ ・汎アフリカ副代表ディカン·モセネケ
政治家	・白人民主党代表 ・右派保守党代表 ・執権党国民党代表

プランニング（Scenario Planning）を通じて動けば、私たちはこれから起きる未来を創造できるだろう」。

シナリオ・プランニング――統合的リーダーシップの道具的条件

シナリオ・プランニングは結果よりも過程を重視する。その過程で複合的利害関係者間の創意と省察を重視する。南アフリカ共和国の成功例からも確認できる。

当時、南アフリカは三つの次元の社会的対立に直面していた。一九八〇年代、人種分離政策によって黒人と白人が対立し、少数の白人を代表する政府と急進的反対勢力の間に武力衝突が頻繁に発生した。一九九〇年、フレデリック・ウィレム・デクラーク（Frederik W. de Klerk）大統領はマンデラ釈放及び反対勢力の合法化などの政治的努力を試みたが、それにもかかわらず無政府状態が続いた。

この時、南アフリカ共和国の黒人大学教授であるピーター・ルルーを中心に新しいシナリオ企画を準備した。それは、南アフリカを成功裡に転換させる戦略が必要であったからである。ルルーは、より良い未来を作るために、構成員の協力を誘導することのできるような、現実参加的なシナリオを作ろうとして、このためのシナリオ・プランニング作成のために、多国籍石油会社のシェル（Shell）のアダム・カヘインの諮問を受けることに

図表12　モンフレ・カンファレンスのシナリオ・プランニング展開過程

1次ワークショップ (1991.9.)	・ワークショップ参加者のブレインストーミングによる30のシナリオ導出 ・30 本のシナリオに基づき、9 本のシナリオの導出 ・参加者を4つのチームに再構成 ・各チーム長は、まとめられた内容を全体会議で発表 ・モンフレ、美しい田園のぶどう農場、現代風カンファレンス、平和な雰囲気（夕食、ワイン）。
2次ワークショップ (1991. 12.)	・より豊かで深化した9つのシナリオ内容 ・9つのシナリオのうち、現在の南アフリカ共和国の状況に適した4つのシナリオの採択 ・ワークショップが終わった後、参加者は自分のネットワークに戻って4つのシナリオを試す。
3次ワークショップ (1992. 3.)	・4つのシナリオを見直し、最終形態のシナリオ導出
4次ワークショップ (1992. 8.)	・導出された最終シナリオの公表方法を決定 ・関心が大きいラグビー試合観覧のため、4時間の休憩を取る ・4時間の休憩時間に参加者は、より多くの人の前でシナリオを発表し、シナリオの妥当性を試す。 ・白人自由民主党代表と右派保守党代表、当時の政権党だった国民党の代表もワークショップに参加

した。

こうしてアダム・カヘインは南アフリカ共和国に飛び、中立調整者(Facilitator)の役割を果たし、モンフレ・カンファレンスを企画し、成功させることになる。

モンフレは美しい田園風景をかもし出すぶどう農園であった。ここにあるカンファレンス場で、異なる人種と背景を持つ二二人の参加者たちが協議して導き出した成果が成功を収めた。モンフレ・カンファレンスに参加したメンバーは、現在の南アフリカ共和国の権力集団か、未来の権力集団であった。

アダム・カヘインが適用させたシナリオ・プランニングの原則は単純であった。

第一に、参加者をできるだけ小さな小グループに分け、最初から衝突を最小化する。

第二に、対話中、参加者には自分の世界観と政治的傾向に関する表現や、「そんなことは絶対に起こり得ない」などの否定的な非難や言語は使用を禁止させる。ただし、「なぜそのようなことが起きるのか」「その後に何が発生するようになるのか」のような未来志向的な質問だけが許された。

第三に、現在ではなく、一〇年後の南アフリカの将来に関する可能なシナリオを導き出すように努めた。そしてそのシナリオは単純に自分が望むものと関係なく、実際に実現可能なものでなければならないようにした。

図表13　モンフレ・カンファレンスの最終シナリオ

ダチョウ（Ostrich）	レイムダック(Lame Duck)
・少数集団の白人政府がダチョウのように自分の頭を砂の中に打ち込み、多数の黒人が要求する交渉案に応じないこと。	·弱体化した政府が登場した場合を想定 ·弱体政府は全ての勢力の顔色を伺うが、いかなる勢力も満足していないことからくる改革の遅れ
イカルス(Icarus)	**フラミンゴたちの飛行(Flamingoes)**
・自由な黒人政府が大衆的支持を得て権力を握る。 ・理想的で、高貴で、巨大な抱負を抱き、経費が多くかかる国家事業を推進。 ・無理な事業推進で財政的問題にぶつかる。	・南アフリカの成功的な転換シナリオ ・南アフリカの全ての代表勢力が連合してお互いを排他せず、ゆっくりと新しい社会を建設

第四に、未来へのブレイン・ストーミングが終わった後、全てのグループの前で結果を発表する。

この方法でシナリオ・プランニングは、前頁の表に示すように、一年間続いた。モンフレ会議が既存の会議と異なる理由は、以下の通りである。

まず、非常に美しい会議場という環境で小休止時間にバレーボールやビリヤードなどを通じて和合を図り、夕方にはワインを自由に飲みながら会話を交わすなど、平和的な会議の環境作りも成功に一役買った。

第二に、ワークショップが終わった後、参加者は自分のネットワークに戻り、各自のシナリオを試してみるなど、実用的なアプローチを並行した。

第三に、短期間で終わったのではなく、十分な時間的余裕を持って行った。

このように、彼らが最終的に合意したシナリオは、次の四つに帰結された。

まず、ダチョウ（Ostrich）シナリオである。これは少数集団である白人政府がダチョウのように、自分の頭を砂の中に突っ込んで、多数の黒人が必要とする協議案に応じないものである。

第二に、レイムダック（Lame Duck）シナリオである。これは弱体な政府が建設される場合を想定したもので、弱体な政府は、すべての勢力の顔色をうかがい、いかなる勢力も満足させることができないために改革が行われず、〔改革が〕遅延することを意味する。

第三に、イカルス（Icarus）シナリオである。これは自由な黒人政府が大衆の支持を得て権力を握ることを想定したもので、理想的で高貴で、巨大な抱負を抱き、経費のかかる国の事業を推進して財政問題にぶつかることが予想されるシナリオである。

第四に、フラミンゴたちの飛行（Flight of the Flamingoes）シナリオである。これは南アフリカの成功的な転換を想定したもので、南アフリカのすべての代表勢力が連合し、お互いを排他せず、ゆっくりと、新しい社会を建設するというシナリオである。

モンフレ企画が成功した要因

モンフレ・カンファレンスを初期に進めたジャウォースキーは成功した要因について次のように述べている。「我々がどのように行動するかによって、将来の姿が決まる」、つまり、個人と組織が一歩後ろに下がって状況を見守る代わりに、あるいは一歩も譲らない代わりに、創意性を持ってシナリオ・プランニング（Scenario Planning）に基づいて動けば、今後訪れる未来を成功裡に創出できる。

モンフレ企画が成功した具体的な要因は次の通りである。

第一に、対話の場を設けたという点である。すなわち、全世界が解決できないと断定した難問の本質の中に直接入り込み、なぜこのような問題が生じ、いかに解決していくのかについて、異なる社会的背景を持つ、少数の指導者及び行動家たちが深く討論した。

ただし、ここでの論議は、自分の選好や信念ではない、実現可能性に基づく論議であった、というのが核心である。「皆が良く生きることのできる未来を作るために何をすべきか」に対する解答を得るために、これまで何ごとが起こり、これからどんなことが起こるかを予測するのはもちろん、現在のことが影響を及ぼす、より良い未来を導き出すシナリオを立てたのであった。

第二に、〔相手を尊重し合う〕言葉違いの変化を通じてリーダーたちの考え方と態度が変わったという点である。

第三に、政治指導者たちが未来について共に語り合うことに合意ができたことで、対話と討論の結果が政策に実質的に反映される結果を生んだという点である。彼らは論議の結果、国家権力を有する勢力の経済観念や考え方の変化を引き出した。イカルス・シナリオからフラミンゴたちの飛行シナリオへと変わる端緒を提供することで、南アフリカ共和国の「成長と雇用と再建設」（GEAR）が実現する重要な契機になったのである。彼らはこれを「偉大なUターン（The Great U-Turn）」と呼んだ。

第四に、結果的に対話と討論を通じて社会問題を解決できる可能性を発見したという点である。

南アフリカ共和国初の黒人財務長官を務めたトレバー・マニュエル（Trevor Manuel）は次のように語った。

モンフレ企画からすぐに（成長と雇用と再建設）政策が打ち出されたわけではない。私たちは数々の紆余曲折を経なければならなかった。しかし、この政策はかなりの部分がモンフレ企画から出たものである。

革新の端緒――未来指向的葛藤の解決、シナリオ・プランニング

現在、ビッグデータやＩｏＴ、ロボット、ドローン、ＡＩなどを中心に、第四次産業革命を巡る論議が盛んに行われている。しかし、第四次産業革命の新技術も重要であるが、何よりも現代社会の望ましい未来実現のために重要な点は「複雑な問題であればあるほど対話と合意が必要だということ」である。

複雑性の程度の低い問題は、問題の一部分だけを直すとか、あるいは過去のやり方や権威者の指示に従って解決できるが、複雑性の程度の高い問題は、当事者が新たな解決策を見つけ、組織全体を変化させてこそ解決できる。つまり、複雑性の程度の高い問題の解き方は、解決策を見つけるまで絶えず話し合うことである。開かれた考え、開かれた感情、開かれた態度が重要である。

結果に対する合意だけでなく、過程に対する合意がより重要である。多様な主体が参加して議論を続けることにより、社会問題の解決に向けた統合的努力を続ける中で信頼が醸成され、それに基づく社会的資本（Social capital）が構築されて行くのである。

したがって、話すことと聞くこと、そして対話を通じて、この時代の分裂主義にとどまらず、広範囲に渡る社会的合意を導き出せる統合と包容、すなわち省察のリーダーシップが必要である（アダム・カヘイン 2007）。

エピローグ——政策現象を認識する理論的レンズ

〔これまで述べて来た〕論議を総合してみよう。

これまで政策科学の巨匠たちの理論とともに、隣接学問として政策科学と深い関連性を有する三つの軸（pillars）と政策科学との統合、すなわち政策科学と未来予測学、第四次産業革命、統合的リーダーシップとの統合的アプローチを試みた。これを通じて、世界史的、あるいは文明史的な政策環境の激変の中で、一時代を画する学術的理論家が現われ、彼らが自分の生きた時代の問題に対する解決策を示そうとして努力したという共通分母を見つけることができた。

その主人公たちは、まず、広島原爆投下の衝撃の中で人間の尊厳性の実現を目指す学問的パラダイムを示そうとしたラスウェルとドロア、ヤンチュ、アンダーソン、政策革新と政策分析の分岐点を作ったダン、ベリー夫妻、そして現代社会の複合的、非線形的な政策問題の中で政策科学を現実に適用するための立体的な政策モデルを示したキングダン、サバティエ、そしてイングラム、シュナイダー、ドレオン、仮想的な不明確性から一歩抜け出して実際の政策過程で利害集団の重要性を強調し、手続き的価値を通じて〔差別的な待遇を受けているものに対し〕権利付与と協治を実現するためにニュー・ガバナンスを主張したガイ・ピーターズ、ヨン・ピエール、クイマンである。

次に、未来に対する想像力を基に、未来価値の実現を通じて未来予測と政策科学の交差点として新しい学問的地平を開き、二つの学問世界を結びつけたジム・デイター、レイ・カーツワイル、第四次産業革命という前代未聞の荒波と文明史的激変の中で新しい議論を提示しようと没頭しているクラウス・シュワブやジェレミー・リフキン、そして現代社会の憂鬱、葛藤、不幸という低次元のエネルギーを取り除き、〔物事を解決するために、深くかつ集中的に考え抜く〕没入的思考法、創造、幸せという創造的議論を社会の底辺に拡散させようと努力する前向きの心構えと共に、これをシナリオ・プランニングに適用させて深刻な社会葛藤を統合と包容で昇華させたアダム・カヘイン、ネルソン・マンデラなどがその主人公たちである。

あらゆる学問的巨匠たちの理論的成果は結局、彼らが生きた時代の時代史的な課題を少しでも解決しようと努力した結果であり、学問的理論と現象の間に存在するギャップ（Gap）を埋めようと試みた不断の努力の成果であったと言えよう。

現代の政策科学は、このような巨匠たちの学問的貢献に大きな負債を負っている。彼らが直面した課題解決のための努力で政策現象を見つめる理論的レンズ（lenses）が一つずつ増えるようになり、複雑な政策問題を解決する私たちの能力もさらに向上したのである。むろんそれぞれの時代は異なり、解決しようとする問題の性格も異なっている。

さらに、現代の複雑な社会問題は、彼らが試みた課題解決のやり方やそれを克服しようと努めた思考の展開過程だけでは解決できない問題だろう。それにもかかわらず、著者がこのような巨匠たちの試みた課題解決のやり方やそれを克服しようと努めた思考の展開過程を考察したのは、政策手段を超えて問題の本質を見抜く慧眼の重要性を強調しようとしたからである。これは、コンピューター・プログラミングの開発、ビッグデータ、ＩｏＴ技術が教えてくれない、そしてそれらによっては解けない社会問題（Tough problem）解決の出発点になるだろう。こうした文脈から、現在発生している多様な現代社会の葛藤と「複合的」構造のメガトン級の巨大問題を論議する際にも、彼らが行った彼らの時代の課題解決のやり方やそれを克服しようと努めた思考の展開過程から学ぶことは、大いに必要で重要である。

ＶＵＣＡ、すなわち変動性（Volatility）、不確実性（Uncertainty）、複雑性（Complexity）、曖昧性（Ambiguity）に象徴される超現代社会を生きるわれわれは、いかなる学術的謎（Academic puzzle）を胸に抱いて「難解な」あるいは「邪悪な巨大」構造の複合問題（Tough & Wicked Problems with Mega-Complexities）にいかにアプローチすべきなのか。

ＡＩ、バイオ、ナノなどが融合した波が押し寄せてくる第四次産業革命は、これまでの産業革命とは違って、私たちの働き方（What we are doing）に影響を及ぼすのみではなく、私たちの存在（what we are）とアイデンティティーそのものに衝撃を与えている。人間の労働権、雇用の消滅だけでなく、ホモ・デウス（Homo Deus）の登場、永生の試み、人間の生命と死に対する概念の拡張、バイオとナノ・ロボットの登場、人間とＡＩの境界の消滅など、新しいサピエンス（Homo sapience）についての議論が必要な時点である。尊厳に対する概念的、政策的、法学的、再定義が必要かもしれない。大雪や巨大な嵐のような、津波のようなことが目の前で起こっている今、国政（ガバナンス）についての行政学と政策科学はどのような学問的モデルで、あるいはどのような理論で新しい学問の確立に貢献すべきか。

社会が複雑になればなるほど既存の政策モデルとか理論では解くことができない難題に突き当たることがあろう。伝統的官僚制はいうまでもなく、水平的ネットワークを強調するニュー・ガバナンスのアプローチでは解決が難しい難解な問題などが現れるであろう。

効率的な行政理念とか民主的アプローチだけでは解決が難しい複雑な問題などが現れるだろう動態学的、発生学的、社会的複合性など複雑な問題の発生原因を考慮すると、社会問題の解決はいつも難しく、ともすれば完全な解決は不可能であるかも知れない。そのため、われわれには多様なシナリオ・プランニングと未来志向的アプローチが重要であり、このためにこれまで以上に創造的破壊（Creative destruction）と破壊的革新（Disruptive innovation）が必要である。従来の発想を超える果敢で創意的な提案とこれを包容と省察のリーダーシップで溶解させる多様なアイディアが必要な時である。地平の転移のようなパラダイム転換（Paradigm shift）とニュー・フロンティア（New frontier）精神は、未来の可能性を拡張させることで、われわれの新しい未来を切り開く力となるだろう。

◎参考文献

権祈憲（クォン・ギホン）［2007］『政策学の論理』博英社.

――――.［2010］『政策分析論』博英社.

――――.［2012］『電子政府論』博英社.

――――.［2013］『行政学コンサート』博英社.

――――.［2014a］『政策学講義』博英社.

――――.［2014b］『政策学の論理』博英社.

――――.［2017］『政府革命4.0 暖かい共同体、スマートな国家』幸せなエネルギー.

クォン・ソクマン［2008］『ポジティブ心理学：幸福の科学的探求』ハクジ社.

キム・ドクヒョン、パク・ヒョンジュン［2013］「社会的形成理論の韓国的モデル探索」、『韓国地方政府学会秋季学術大会発表論文集』韓国地方政府学会.［2013］(3): 198-216.

キム・ドンベ、キム・ジュンドン［2006］『人間行動理論と社会福祉実践』ハクジ社.

キム・ドンヒョン、パク・ヒョンジュン、イ・ヨンモ［2011］「規制政策の設計と社会的形成理論」、『規制研究』20 (2): 119-149.

キム・ミョンファン［2005］「社会的形成主義の観点からの政策研究：対象集団の社会的形成理論と適用」、『韓国政策学会報』、韓国政策学会. 14 (3): 35-36.

キム・ミョンヒ、キム・ヨンチョン［1998］「多重知能理論：その基本前提と示唆点」、『教育課程研究』、韓国教育課程学会. 16 (1): 229-330.

キム・イムスン、キム・ソンフン［2015］「教育学：ガードナーの多重知能理論が教育に与える含意」、『人文学研究』、朝鮮大学人文学研究院．49: 395-422.
マーティン・セリグマン［2014］『肯定心理学』キム・インジャ訳　ムルプレ．
パク・チャングク［2017］『超人授業：私を越えて私に会う』21世紀ブックス．
ペク・スンギ［2008］「ACF（Advocacy Coalition Framework）モデルによる政策変動事例研究：出資総額制限制度を中心に」、『韓国政策学会夏季学術発表論文集』、韓国政策学会．［2008］（1）: 705-737.
ソン・ギイン［2015］『コミュニケーション学、10人の先駆者』コミュニケーション・ブックス．
アダム・カヘイン［2008］『統合のリーダーシップ：開かれた対話で新しい現実を創造する未来型問題解決法』リュ・カミ訳　エイジ21．
アダム・カヘイン［2010］『包容のリーダーシップ：未来を変えるために本当に私たちに必要なものは何か？』カン・ヘジョン訳　エイジ21．
ヤン・スンイル［2015］「政策変動類型の流れモデルの検証分析：4大河川整備事業を中心に」、『韓国行政学報』、韓国行政学会 49（2）: 507-530.
ユ・ホンリム、ヤン・スンイル［2009］「政策の流れモデル（ＰＳＦ）を活用した政策変動分析：セマングム干拓事業を中心に」、『韓国政策学会報』、韓国政策学会［2009］（0）: 705-731.
リ・ソクジェ［1996］「フロイトの道徳発達理論に関する考察」、修士号論文．
リ・ヨンジェ［1997］「多重知能理論の教育学的意義」、『発達障害学会誌』、韓国発達障害学会．1: 135-148.
イ・ジェジョン［2014］「政治家と嘘：彼らはなぜ嘘をつくのか？」、『韓国政治研究』23（3）: 1-28.
イ・ハク［1998］『フロイト心理学研究』青木書籍．
イ・ヒヨン、ソン・ヒョンリム、キム・ウンギョン［2013］『人間心理の理解』シグマプレス．
イム・ヒョジン、ソン・ヘヨン、ファン・メヒャン［2016］『教育心理学』Communication Books.

チョン・チョルヒョン［2003］『行政理論の発展：ウェーバーからオズボーンまで』茶山出版社.
ハワード・ガードナー［2007］『多重知能』ムン・ヨンリン、ユ・ギョンジェ共訳　熊津知識ハウス.
Andy Hunter［2013］『多重知能の提唱者ハワード・ガードナー』アン・スジョン訳　ブレインメディア.
Csikszentmihalyi, M.［2003］『没入の技術』リ・サンシュル訳　トブロ.
————.［2004］『Flow』チェ・インス訳 ハンウルリム.
————.［2006］『没入の経営』シム・ヒョンシク訳　黄金の枝.
————.［2009］『自己進化のための没入の再発見』キム・ウヨル訳　韓国経済新聞.

〈英語文献〉

Anderson, Charles W.（1993）. “Recommending a scheme of reason: political theory, Policy Science, and democracy”. *Policy Science, 26*（3）: 215-227

Berry, F. S. & W. D. Berry.（1990）. “State lottery adoptions as policy innovations: An event history analysis”. *American political science review, 84*: 395 – 415

————.（1992）. “Tax Innovation in the States: Capitalizing on Political Opportunity”. *American Journal of Political Science Review, 84*（2）: 395-411

————.（1999）. “Innovation and Diffusion Models in Policy Research”. in Sabatier, P. A.（ed）, Theories of the Policy Process. Boulder: Westview Press.

B. Guy Peters.（1996）. “The Future of Governing: Four Emerging Models”. University Press of Kansas.

Bradford, A.（2016）. “Sigmund Freud: Life”. Work & Theories.

Deleon, P.（1989）. Advice and Consent: The Development of the Policy Sciences. Russell Sage Foundation.

————.（1994）. “Reinventing the policy sciences: Three steps back to the future”. *Policy Sciences*, 27（1）, 77-95

DeLeon, P., & Martell, C. R. (2006). "The policy sciences: past, present, and future". *Handbook of public policy.*

Dror, Y. (1968). "Public Policy Making Reexamined". Routledge.

———. (1970). "Policy Sciences: The State of Discipline". Policy Studies. 1: 135-150.

———. (1971). "Design for policy sciences". American Elsevier Pub. Co.

———. (1971). "Ventures in policy sciences". American Elsevier Pub. Co.

———. (2017). For Rulers: Priming Political Leaders for Saving Humanity from Itself. Policy Studies Organization. PSO and Westphalia Press

Dunn William N. (1994). Public Policy Analysis. Englewood Cliffs, NJ: Prentice Hall.

Einstein, A. & Freud, S. (1991). "Why war? Redding". CA: CAT Pub. Co.

Freud, S. (1918). "Reflections on war and death". New York: Moffat, Yard

Graham T. Allison. (1971). "Essence of Decision". Longman.

Ingram, H. & Schneider, A. & DeLeon, P. (2007). "Social construction and policy design". In P. A. Sabatier. (ed). Theories of the Policy Process, 93. Boulder, CO: Westview Press

Kingdon, John W. (1984). "Agendas, Alternatives, and Public Policies". Boston: Little Brown.

———. (1999). "America the Unusual". Worth Publishers.

Kooiman, J. (1993). "Modern Governance: New Government-Society Interactions". Newbury Park. Sage.

———. (2003). "Models of Governance". In Kooiman. Governing as Governance. London: Sage.

Lasswell. (1951). "The Policy Orientation". H. D. Lasswell and D. Lerner (eds.), Policy Sciences. Stanford, California: Stanford Univ. Press, 3-15

———. (1960). "Psychopathology and Politics". University of Chicago Press.

———. (1970). "The Emerging Conception of the Policy Sciences". Policy Sciences, 1: 3-14

———. (1971). "A pre-view of policy sciences". American Elsevier Pub. Co.

———. (1978). "Propaganda and Communication in World History". East-West Center.

Ray Kurzweil. (2010). "The Singularity is Near". Gerald Duckworth & Co.

Jantsch, Erich. (1967). Technological forecasting in perspective. O.C.D.E.

———. (1970). "From forecasting Core of the New Institutionalism". Politics & Society, 26 (1): 33-37.

———. (1972). Technological planning and social futures. Associated Business Programs.

———. (1979). The self-organizing universe: scientific and human implications of the emerging paradigm of evolution.

J, Rifkin. (1980). "Entropy : a new world view". Viking Press. Pergamon Press.

———. (1995). "The End of Work". Paidos Iberia Ediciones S A.

———. (2000). "The Age of Access". Penguin.

———. (2002). "The Hydrogen Economy". Tarcher.

———. (2009). "The Empathic Civilization". Polity Press.

———. (2011). "The Third Industrial Revolution". Palgrave Macmillan Ltd.

———. (2014). "The Zero Marginal Cost Society". Palgrave Macmillan Ltd.

Paul A. Sabatier. (2017). "Theories of the Policy Process". Avalon Publishing.

Peter, G. & Pierre J. (2005). "Governing Complex Societies". Springer.

———. (2005). "Toward a Theory of Governance". In Peters G. & Pierre J. Governing Complex Societies: Toward Theory of Governance: New Government-Society Interactions. Palgrave: Macmillan.

———. Governing Complex Societies. Palgrave MacMillan.

Schneider, A. & Ingram, H. (1993). "Social Construction of Target Populations: Implications for Politics and Policy". The American Political Science Review, 87 (2): 334-347.

政策科学の交響世界

——人間は AI で動く社会をコントロールできるか？

2023 年 9 月 30 日　初版第 1 刷発行

著　者　権　祈　憲
訳　者　洪　性　暢
発行者　洪　性　暢
発行所　株式会社 WORLD DOOR
〒160-0022 東京都新宿区新宿3－23－5 新東ビル7 F
Tel. 03-6273-2874　Fax. 03-6273-2875
印刷・製本　中央精版印刷株式会社

ISBN978-4-910302-06-5